# LES MAINS

# METHUEN'S TWENTIETH CENTURY FRENCH TEXTS

*Founder Editor:* W. J. STRACHAN (1959–78)
*General Editor:* J. E. FLOWER

ANOUILH: *L'Alouette* ed. Merlin Thomas and Simon Lee
BAZIN: *Vipère au Poing* ed. W. J. Strachan
CAMUS: *Caligula* ed. P. M. W. Thody
CAMUS: *La Chute* ed. B. G. Garnham
CAMUS: *L'Etranger* ed. Germaine Brée and Carlos Lynes
CAMUS: *La Peste* ed. W. J. Strachan
DURAS: *Moderato Cantabile* ed. W. J. Strachan
DURAS: *Le Square* ed. W. J. Strachan
GIRAUDOUX: *Amphitryon 38* ed. R. K. Totton
GIRAUDOUX: *Electre* ed. Merlin Thomas and Simon Lee
GRACQ: *Un Balcon en Forêt* ed. P. Whyte
ROBBE-GRILLET: *La Jalousie* ed. B. G. Garnham
SARTRE: *Huis clos* ed. Jacques Hardré and George Daniel
SARTRE: *Les Jeux sont faits* ed. M. R. Storer
SARTRE: *Les Mains sales* ed. Geoffrey Brereton
CONLON (ed.) *Anthologie de Contes et Nouvelles modernes*

METHUEN'S TWENTIETH CENTURY TEXTS

*Jean-Paul Sartre*

# Les Mains Sales

pièce en sept tableaux

EDITED BY

GEOFFREY BRERETON

METHUEN EDUCATIONAL LTD
LONDON · TORONTO · SYDNEY · WELLINGTON

*First published in this edition 1963 by*
*Methuen Educational*
*11 New Fetter Lane, London EC4P 4EE*
*Reprinted nine times*
*Reprinted 1980*

*Printed in Great Britain by*
*Richard Clay (The Chaucer Press) Ltd, Bungay, Suffolk*
*ISBN 0 423 75440 8*

# Contents

# Introduction

The majority of plays fall broadly into two classes. Either they are about "people" and the impact they make upon each other in their personal relationships, or they present issues which may concern a whole society, a nation, or a class: questions, for example, of peace and war, of loyalty and treason, of justice. For convenience the first kind may be called psychological, the second social – which includes, where relevant, the political. This is, of course, a simplification, since few plays can be said to belong absolutely to one category or the other. A social issue will be presented through characters with recognizable human qualities and which therefore possess a psychological interest in themselves. On the other hand, a play confined in appearance to the emotional relationships of a single family may well contain implications of wide social significance. Nevertheless, the predominant intention of the dramatist usually falls on one side or other of the line and it is always useful to ask: "Which side?" Even in those cases where the answer is by no means clear, the attempt to find it will increase our understanding of the play and provide some safeguard against a distorted interpretation.

It is easy to decide that Shakespeare's *Romeo and Juliet* has as its principal theme the relationship of two lovers, and not the problem of maintaining unity in a small city state disturbed by a feud between two family clans. *Macbeth*, however, cannot be satisfactorily described as a study of a ruthlessly ambitious couple who plot several murders in order to obtain possession of an old man's inheritance. Though the characterization of Macbeth and Lady Macbeth is rich in psychological observation, it is only significant in this play when related to a broader theme. That theme is the quality of kingship and the criminal usurpation of power. What we are most conspicuously shown are the passions of private individuals, but the point which is really at issue is a question of political morality.

The present play has to be looked at from both these angles, with the warning that it is not so simple as it may appear to decide which of them provides the better approach.

## POLITICAL SIGNIFICANCE OF THE PLAY

*Les Mains Sales* is first and most obviously an indictment of Communism in one of its most typical aspects. It shows up the immorality (as it appears from a humanist point of view) of a Party line which has to be unquestioningly accepted even when it changes direction. Principles which have been inculcated for years and regarded as an integral part of a social–political creed may be thrown overboard in a day in furtherance of the Party's material aims. Those aims are in fact constant. They are the attainment or retention of power in conditions in which it can be exercised effectively. Everything else – including, particularly, persons – is held to be subordinate.

Such a theme could be illustrated by a number of real examples in the recent history of Communism, which at least in modern times has been richer than the other great political movements in the more cynical types of opportunism, though it does not hold a monopoly. Around 1948, when *Les Mains Sales* was first produced, the "Western" countries, and France in particular, were pre-occupied with the growing strength of Communism in their midst. After his first period of office as President, De Gaulle suddenly resigned in January 1946, leaving the politicians to get on with the job in their own way. They met first as a Constituent Assembly, which completed its task by voting the constitution of the new Fourth Republic in October 1946, and after that as a normal parliament which endeavoured to govern the country under a series of short-lived ministries. These ministries were at first dependent on precarious coalitions between any two of the three major parties, Communists, Socialists, and M.R.P. (Christian Democrats), which were roughly equal in electoral strength. While never in a position to dominate a cabinet, Communists often occupied key ministerial posts. In the spring of 1947 De Gaulle formed a new right-wing party, the Rassemblement du

Peuple Français (R.P.F.). The moderates (Socialists and M.R.P., to which was now added a resuscitated Radical Party) continued to govern as best they could, independently both of the Gaullist Right and of the Communists, who henceforth were excluded from coalition ministries. But in a time of rising prices and hard economic conditions, support for Communism grew outside parliament and was expressed in 1947–48 by widespread strikes, sabotage, and riots, sometimes countered by violent police action. The Trade Union movement was also split on the question of adherence to the Communist Party.

Thus the sort of problems raised by *Les Mains Sales* were highly topical at the time. Should moderates combine with Communists in face of a threat from the extreme Right? From the Communist point of view, was it better to share responsibility with the moderates, or to remain uncommitted and work for the day when they would either command an absolute parliamentary majority or be swept into power by a revolution? Sartre's play was interpreted as a negative answer to the first of these questions by a left-wing intellectual. Moderates and progressives should *not* ally themselves with Communists, since the latter were only playing their own hand and would change their policy and their principles whenever the time seemed opportune. To that extent, *Les Mains Sales* was certainly a political "morality" in the topical circumstances in which it appeared.

But although its general implications were closely related to the post-war situation in France, it did not, and was hardly meant to, provide an exact parallel. The actual story was set in the recent past, in the last two years of the Hitler War, and the scene was an imaginary country called Illyria. This country was not quite the France of 1946–48, neither was it the France of the war years, in which events had followed a different course.

Its nearest counterpart was Yugoslavia, which coincided geographically with the region once really called Illyria and where the struggle between parties and interests had been not unlike those dramatized by Sartre. At the beginning of the war Yugoslavia was a regency, governed by Prince Paul on behalf of his nephew, the young King Peter. Prince Paul hoped to preserve his country's neutrality, but under pressure from the Axis he allied himself with Germany and Italy in March 1941. In spite of this, German troops invaded the country in the following month in order to ensure that it should remain under Axis control. Armed resistance broke out almost at once, led by Colonel Dragomir Mihailovitch, a nationalist of the old school. Shortly afterwards, following Hitler's invasion of the U.S.S.R. which at last brought that country into the war, the Yugoslav Communists also and separately took the field against the Germans. (These were movements by guerrilla partisans, openly fighting the Germans in mountainous country. Their actions were not restricted to underground sabotage, as in *Les Mains Sales*.)

In November 1942, a political body called the Anti-Fascist Council of National Liberation was set up by the Communists, to offer a façade of national unity embracing all sections of opinion. In effect, it remained entirely under Communist control and Mihailovitch's partisans not only stayed outside but were soon engaged in civil war with the Communists. The strength of the latter grew and became virtually absolute after the arrival of the Red Army on Yugoslav territory in October 1944. Three months later a national government was formed. Nominally it was a new regency, to which King Peter, then in exile, transferred his powers. Nominally it derived its support from the Anti-Fascist Council established in 1942. Actually, like that, it was Communist-controlled. The rest is the story of Titoism. The wartime resistance leader Josip Broz (Tito) quickly came to dominate the scene. At first he was the darling of Moscow, whose directives he followed faithfully. Then he began to assert his independence and in June 1948, when *Les Mains Sales* had been running in Paris for a couple of months, he was openly denounced by the international Communist organization, the Cominform, which, as a compliment to him, had been set up the previous autumn in his own capital of Belgrade.[1]

All this is too close to the political context of *Les Mains Sales* not to be recognized as a general model. But it is no more than that. The play is not an historical drama – though even if it were

[1] Fourteen years later, by a new turn of the wheel, Tito appeared to regain the favour of Moscow, now concerned to counter the growth of Chinese Communist influence in the neighbouring state of Albania. He has succeeded in retaining a large measure of independence.

it need not observe exact historical accuracy. From events which had occurred once and therefore, in the minds of his audience, could occur with only slight variations again, Sartre, observing a principle first formulated by Aristotle,[1] derives his own situation and constructs from it a story of more general validity and interest.

Sartre's Illyria is governed by a Regent, whose power is based on the old property-owning classes. Under pressure from Nazi Germany and to preserve his country from a German invasion with the consequent loss of his own powers, he has declared war on Russia and supplies the Axis with troops and war materials. He is opposed within his own country by two parties. The "Pentagon" represents the middle classes and the big industrial interests; broadly, these are liberal democrats. The Proletarian Party, based on the industrial workers, is composed of Communists and Communist sympathisers. These two parties both have clandestine resistance movements which work at sabotaging the Regent's pro-German war effort. But they are hostile to each other. The Pentagon opposes Germany on nationalistic grounds, but has no love for Russia. The Communists are naturally strongly pro-Russian. Each hopes to achieve power at the end of the war to the exclusion of the other.

At the beginning of 1943 there was a turn in the war, marked principally and as far as this play is concerned by the German defeat at Stalingrad.[2] The Regent decides that it would be prudent

[1] . . . "it is not the poet's business to tell what has happened, but the kind of things that would happen – what is possible according to probability or necessity. The difference between the historian and the poet is not the difference between writing in verse or prose. . . . The difference is that the one tells what has happened, and the other the kind of things that would happen." Sartre the dramatist is the type of writer that Aristotle means by a "poet" and drama, in verse or prose, is part of his conception of "poetry". He goes on from the above to make his notable statement on "poetry" or imaginative writing: "It follows therefore that poetry is more philosophical and of higher value than history, for poetry universalises more, whereas history particularises." Translation quoted from *Aristotle on the Art of Fiction*, by L. J. Potts (Cambridge Univ. Press, 1959).

[2] Two or three months earlier the tide had also begun to turn in North Africa, when the British Eighth Army began its westward advance from Alamein and British and American troops landed in Algeria and Morocco. These actions, though peripheral in appearance, led to the disengagement

to change sides and throws out feelers to the Pentagon and the Proletarians with a view to forming a secret anti-Axis alliance. The Proletarians are split by this suggestion. Some feel that any understanding with the old parties can only weaken their own position. Others are in favour of striking a bargain. The leader of these is a certain Hoederer, who is supported by a small majority within the Party. His opponents, the "pure" Communists, resolve on his assassination, which is duly carried out.

Two years later, the "pure" Party line has changed. The policy now being followed, on the instructions of Moscow, is exactly that which Hoederer advocated. The fact of his murder is an embarrassment to the Party, but the truth can be distorted and his memory discreetly rehabilitated so long as the crime is represented as an act of personal vengeance, a *crime passionnel* having no connexion with politics. Everything depends on the silence of his killer, a young man who has passed the intervening two years in prison, and who now reappears. He must at all costs be prevented from revealing that he received Party orders to shoot Hoederer. Either he must be killed himself or at the least he must be prepared to forget the crime and go on living under a different identity. His dilemma and its solution form the human substance of the play.

## CHARACTERS AND PSYCHOLOGY

The killer of Hoederer and the principal character of the play is **Hugo,** a young middle-class intellectual. He has joined the Communists out of dislike for his own family and class and also because he believes he finds in the Proletarian Party a purity of motive and an honesty of behaviour which he instinctively admires. But he is not entirely accepted by his comrades and longs to be more fully trusted by them than he is. He is a self-dramatizing person who pictures himself in heroic rôles involving physical action, whereas his task so far has been to edit the Party news-sheet. The assignment of killing Hoederer gives him exactly the kind of

of the Mediterranean and the elimination of Italy from the war. The build-up of American military power in Europe was also beginning and the Japanese had received their first setbacks in the Pacific.

part he has always wanted. In what may perhaps be called traditional terms, it is an opportunity for him to realize his true self – or what he believes to be his true self. In Existentialist terms (see also below, p. 18), to decide on a definite act and perform it will help to "make" him the kind of positive character he has so far failed to be. The act will become part of him – though with the converse and potentially tragic condition that his personality will be inseparably bound to the act. Beforehand, it seems that there must be a clear-cut result, defining the act and the man. "That is the killer of Hoederer," others will say. "He killed him on Party orders because the policy he was following was pernicious." But when it comes to practice, things are by no means as clear. Motives grow confused and, although in the end he does fire the gun, the circumstances are such that it appears almost an accident. The act to which Hugo has pinned his personality threatens finally to leave him much as he was before – a high-principled and ineffectual *imaginatif*. It is only by his last-minute decision, which closes the play, that he confirms himself as the author of an unequivocal act. This decision may be thought arbitrary – as much an effect of blind choice as betting on black rather than red – or it may be seen as the inevitable product of Hugo's nature. But there it is, and the fact that it can be explained in more than one way provides the main psychological interest of the play.

After Hugo, the most important and certainly the most likeable character is **Hoederer**. He is simply drawn – a shrewd, practical, courageous, human, mature, pipe-smoking man. He completely lacks the fanaticism which a different dramatist might have ascribed to a Communist Party leader. He is tolerant towards other human beings, though ruthless enough (perhaps a better word would be "single-minded") in his theories of how to achieve power and retain it. As a type, and in his relationship to the other characters, he emerges as a father-figure, or at least an elder brother. If, on close scrutiny, this seems not quite compatible with the position he has attained in the Party or with his views on the political necessity of "plunging one's hands in blood and filth", it gets by on the stage and indeed is dramatically appropriate. It is essential to the dramatic situation that he should offer a strong contrast to Hugo – as well as to Louis – and also that he should turn out to be quite a different man from the malevolent traitor whom Hugo had expected to meet when he volunteered to kill him.

The two women, Olga and Jessica – are fundamentally types, but well enough filled-in to be recognizable as potentially "real" people and, in theatrical terms, to be played as straight parts. Several of Sartre's plays contain two female parts, the one fluffy, emotional, or socially fashionable, the other virile, strong-willed, or intellectual, as the case may be. **Olga** belongs to the second category. She is a dedicated Party member, a clear-cut and competent young woman who is ready to sink all personal interests and considerations in whatever work has to be done, She has a strong affection for Hugo, linked very naturally to a kind of faith in him, because it was she who brought him into the Party and she therefore feels both protective and responsible towards him. But she tries to subordinate even this emotional attachment to her idea of duty. As for **Jessica,** she is younger in actual years and much younger in character. She outwardly resembles the kind of debutante depicted or imagined by the English popular press, a year or so after her coming-out. She has been brought up in sheltered ignorance of political and all other realities, in which moreover she has so far conceived no interest. She has been married very young to Hugo, some of whose characteristics (his imaginative and romantic features) she shares. She has a playful wit and is unpremeditatively sexual without being "kittenish". To begin with, she is quite recklessly self-assured. Hoederer is a revelation to her. He is, as she says, the first "real man" she has known. She means that he appears solid and knows his own mind, in obvious contrast to her husband, Hugo. Sartre has provided her with a background of psychology from the case-book. There are hints of a father-fixation, ultimately transferred to the father-figure, Hoederer. Her husband complains of her frigidity, which would theoretically be associated with sexual openness and is evidently intended to be a significant characteristic. The process by which it is dissipated is traced, though very sketchily, in the play. All this is conventional, yet it lends a little more depth to the character and increases its credibility.

None of the other parts calls for any character-analysis.

Hoederer's bodyguards, **Slick** and **Georges,** are a pair of dedicated toughs who introduce a note of unconscious comedy at several points, but also have their sinister side. A third bodyguard, **Léon,** "walks on" once but does not speak. The part of **Louis,** the leader of the faction opposed to Hoederer and the man in whose hands Hugo's fate ultimately rests, is functional. So are those of the other Party members, the killers **Charles** and **Frantz,** who appear momentarily, and the saboteur **Ivan. The Prince** and **Karsky,** who appear in the political discussion scene (Fourth Tableau, Sc. 4) are mouthpieces for points of view, but can be personified under the conventional appearances respectively of a somewhat old-fashioned diplomatic aristocrat and a liberal politician with a wealthy background.

It may be said that a play is not a place in which one normally looks for great psychological depths or refinements. It is no condemnation of a dramatist to find that he has not explored the hinterland of personality in the way that certain novelists have done. If the majority of his characters are near to recognized types, that is both a theatrical convenience (casting, easy recognition by the audience) and may well be sufficient for his purpose. In this play, the whole of the true psychological interest centres upon Hugo. The others are not, of course, "puppets", but they are there in order to provide a field of dramatic action in which Hugo may evolve. No curiosity is aroused by their personalities beyond what is easily satisfied by their performance on the stage. They are, plainly, what they are and do not fluctuate or develop. In a sense this is true even of Jessica, whose "development" is hardly calculated to provoke interest in her as a person but rather to create a situation which is necessary to the plot. For Hugo, however, every detail of "character" is carefully indicated, from his early background to the many revealing traits which are shown in action or dialogue on the stage. These touches would be unnecessary and even sometimes irrelevant if *Les Mains Sales* were only an anti-Communist "political" play. On the evidence of the text alone one must conclude that a large part of the author's intention was to explore this impulsive and wavering character who pins his hope of salvation to an act and then finds that the act has the same indecisive nature as himself.

The interest of Hugo does not depend on the political context. Any conflict of loyalties demanding decisive action from him would exhibit his personality just as well. Had Sartre dramatized the story of a take-over bid, with Hugo as a convinced supporter, to begin with, of the old management, the central character could have been much the same. For several good reasons, including topical and ideological ones, Sartre set the play in his wartime Illyria. He was concerned partly with Communist policies in "Illyria", but at least as much with Hugo in any situation which would set off the necessary psychological explosion. The play is thus two things at once, but they dovetail perfectly, and it is a matter for the reader or a producer to decide which is dominant, or whether it is not better to keep them in equal balance.

### THE PLAY ON THE STAGE

The play was first produced at the Théâtre Antoine in Paris, in April 1948. An English translation by Kitty Black was produced in June 1948 at the Lyric Theatre, Hammersmith, and moved to the Garrick Theatre in August of the same year. In London, the play was re-titled *Crime Passionnel*, a reference to the alternative explanation of Hugo's deed. The original French title is clearly explained by Hoederer's speech on p. 129.

The French version of the play is divided into seven *tableaux*, which are the equivalent of short acts and generally require a change of scene. The tableaux are divided into *scènes*, which is of course the traditional French way of indicating entrances and exits. A new *scène* simply means that fresh characters have come on to the stage, or that one or more have gone off.

The stage technique is conventional, as in most of Sartre's plays, which are constructed, so far as outward appearance goes, for the commercial theatre. The sets used (there are three in all) and the stage furniture are realistic. The story is told with the help of a flashback which occupies the major part of the play (Tableau 2 to Tableau 6 inclusive). Its beginning and end are clearly marked by the dialogue and the use of stage lighting.

Tension is maintained at an almost melodramatic level. There are two separate uncertainties both strongly charged with suspense. The first concerns the ultimate fate of Hugo, which is shown hanging in the balance in the opening scenes and remains undecided until the final curtain. The second depends on the killing of Hoederer. We know from the beginning that he will be killed, but the "how" and the "when" are not disclosed. During the whole of the flashback Hugo is in possession of a loaded gun which he has declared his intention of using. There are false alarms when he seems on the point of doing so, but does not. Further, there is the shock of the bomb explosion in Tableau 4. These devices are sufficient to maintain the dramatic suspense and to make *Les Mains Sales* an expertly constructed and exciting play quite apart from its political and philosophical significance. In short, while this is first and foremost a "discussion" play, it borrows some of the principles of the detective drama to make its points more effectively. It is the work, not of a philosopher who happens to write for the stage, but of a dramatist well capable of expressing ideas in a medium he thoroughly understands.

The dialogue is written in modern colloquial French, appropriate to the characters. There are, realistically, social differences. The norm is the language used by the educated and young characters – Hugo, Jessica, and Olga – and also by Hoederer. This, though sometimes slangy, can safely be imitated by students of spoken French – though they will naturally realize that under the stress of considerable anger or emotion coarser terms are used than would normally be acceptable. As in any language, the vocabulary is tailored to the situation and the company. Characters such as Slick, Georges, and Ivan use the vulgar and picturesque idiom of the working class, if anything exaggerated for stage purposes. The Prince, in Tableau 4, uses, at least in his longer speeches, a generalized diplomatic language elevated above the tone of ordinary conversation. He is meant to sound a little pompous and even hypocritical. The main idiomatic difficulties, as well as those of vocabulary, are explained in the notes.

## THE AUTHOR AND HIS WORK

Jean-Paul Sartre was born in Paris in 1905 and spent the first part of his adult life as a teacher in French *lycées*. A temporary post at the Institut Français in Berlin gave him a ringside view of the Nazi régime and also brought him into touch with modern German philosophy. It was in philosophy that his early training and interests lay. His first publications expressed those interests, either directly through such specialized works as *L'Imaginaire*, *Esquisse d'une théorie des émotions* and *L'Être et le Néant*, or indirectly through fiction (*La Nausée*, *Le Mur*). He saw active service in the Hitler war, was taken prisoner in 1940 and repatriated in the following year. He returned to a civilian teaching post, but took part in the underground Resistance Movement and consolidated his own thought on human nature and its philosophical explanation. Immediately after the defeat of Germany in 1945, when he finally gave up teaching for writing, he emerged as the chief mouthpiece, if not the creator, of the Existentialist movement.

The philosophical basis of Existentialism cannot, of course, be examined here in a few lines. But it is perhaps not too broad a simplification to say that it opposes the various idealistic philosophies by claiming that the individual is not an entity in, or the product of, any universal system, but makes himself what he is as he goes along. In untechnical language, he is not absolutely bound by "nature", or heredity, or the concept of an "immortal soul", because none of these things will determine what he really is. That can only be determined by "existence" – the decisions he takes and the consciously willed acts he performs in the actual course of living. The majority of human beings perform no such acts and can only be considered as nonentities. The "heroes" of existentialist fiction and drama realize the necessity for them and are not satisfied with drifting meaninglessly, but they are nearly always shown failing to exercise their wills effectively, and because of this Existentialism appears to be a pessimistic doctrine. But at least it is more praiseworthy to make the effort than not to be aware that an effort is necessary at all. If one begins by being nothing, one's only chance is to attempt to become something. This may be achieved by conscious *engagement* ("commitment" or even "dedication"), usually to some course of action bearing on the world outside the individual. (The most obvious kind is political action, though any other kind is of course possible.) By the act of *engagement*, the individual exercises his free will, asserting his independence of any system of pre-determination.[1] By the further acts which it entails, he creates and defines his personality and comes into being through a process of positive living, not through inheriting certain qualities implanted by influences outside himself.

For the immediate post-war generation, Existentialism, as popularly understood, had strong attractions. Disillusionment with the older philosophies, the systems and loyalties based on which had broken down conspicuously during the war years, was at its height. A philosophy which – to isolate one of its implications – allowed human nature to begin anew with each individual, provided he was clear-sighted and strong enough, was splendidly suited to countries such as France, where everything was in the melting-pot. The emphasis on acts and action was an extra inducement, linked inevitably in ordinary practice with a materialistic outlook which took account of results rather than of intentions. The main Existentialist movement was atheistic, since there was no place for a God or for obedience to the authority of a Church in Sartre's system.[2] It was, after a brief hesitation by some of its exponents, equally opposed to Marxism, not so much because of the conformism demanded by Communist régimes as because, according to Marxist theory, individuals are conditioned by social and economic forces and are just as much subject to pre-determination as the damned and the elect of Calvinistic theology. Existentialism showed another way, rooted, as Sartre has rightly claimed, in humanism – that is, belief in the thoughts and capacities of man in his immediate environment. But it was too difficult, except in its more crudely materialistic form, to prosper for long. It demanded a level of intelligence, stamina, and abnegation which only a few outstanding people

[1] The *engagement*, Sartre himself has pointed out, must be "total". "Ce n'est pas un cas particulier, une action particulière qui vous engagent totalement." Hence the futility of Hugo's desire to make himself into a man or a hero by the single act of assassination.

[2] There is, however, a Christian branch of Existentialism, so-called, whose best-known representative in France is the dramatist Gabriel Marcel. Fundamentally religious writers such as Pascal and Kierkegaard are claimed as forerunners of secular Existentialism, but these were hardly orthodox churchmen.

could hope to maintain. It did not become, as ideally it might have done, the reply of the tough but enlightened West to the Marxist East. Moreover, it has become apparent that, simply as an explanation of the human condition, it leaves certain vital questions unanswered. As a philosophical movement, as well as an influence in literature, it has now lost much of its force, though strong traces still persist.

They persist in a minority, in which Sartre is foremost. Since 1946, he has never ceased to make courageous and often effective protests against the excesses of the Right in France. He has eschewed Communism, which could have given him an easy way out, and has consistently condemned the near-Fascism, with its acts of oppression, which the Algerian war and other factors encouraged. Existentialism or no Existentialism, the standard he has raised in its name often resembles that of the old militant radicalism of the nineteenth century. At least it provides the only intellectually respectable rallying-point for agnostic Frenchmen concerned not so much with negative anti-Communism as with the maintenance of basic human values.

Sartre's chief literary works are listed below. Much of his immediate influence has been exerted through criticism, pamphlets, and articles, including those in the review *Temps Modernes*, which he founded in 1946. In such writings, always inspired by the problems of the moment, Sartre becomes a journalist, though of the highest kind, and exhibits the same qualities which give life to his longer-term work. In 1945 he began publishing his long and ambitious novel, *Les Chemins de la Liberté*, intended as a fictional demonstration, or exploration, of the psychology of contemporaries from an Existentialist point of view. The characters flounder about in the morass of recent events, painfully attempting to make sense of their destinies, but hardly succeeding. Though they are analysed at greater depth and in much greater detail, they are the prototypes of the more clear-cut characters of the plays and they face the same kind of situations.

*Les Chemins de la Liberté* has never been completed. After a long delay fragments of the fourth and last volume, significantly entitled *La Dernière Chance*, were published, but they are inconclusive. It is probable that Sartre, with that realism which distinguishes him, has recognized that there cannot be any definite outcome to this particular human adventure and is not interested in contriving a fictitious one. Meanwhile, his plays stand as the most accessible and finished part of his work. Nearly all are in some way concerned with the "real" identities of individuals, the "real" significance of their lives and acts. The first to arouse wide interest was *Huis-Clos*, a drama of personal destinies with no political overtones. His next considerable play was *Les Mains Sales*, followed by *Le Diable et le Bon Dieu*, his greatest play to that date, though it proved over-weight for the Parisian stage and the dramatic critics. In an historical setting (Germany during the Reformation), the clash between good and evil and the impossibility of opting for the one or the other with any confidence about the results were dramatized in violent terms. In contrast, *Nekrassov* was a satire on contemporary political life, approaching farce in some of its scenes. Because it mocked the professional anti-Communism of the right-wing journalist and politician, it was interpreted in some quarters as a sign that Sartre now sympathized with Communism and had changed his tune since *Les Mains Sales*. The stupidity of such a view is apparent when one understands Sartre's independent position and the grounds on which it is based. Four years later Sartre produced a graver work on contemporary problems, *Les Séquestrés d'Altona*. Though the subject is quite different and the issues much more complicated, this play was of the same kind as *Les Mains Sales*. The surface references may broadly be called political; the central character, like Hugo, is entirely absorbed in the attempt to understand his past acts and so arrive at a knowledge of what he is. When his mind is at last clear, he is ready to die.

Throughout Sartre's dramatic works, varied though they are in subject, tone, and importance, the same kind of situations and characters will be found to recur. The same questions are debated from different angles, focusing eventually on the one central problem of the humanist: the nature of man and the meaning of his acts.

# Select List of Works by Jean-Paul Sartre

## PHILOSOPHY

*L'Imaginaire*, 1940.
*L'Être et le Néant*, 1943.
(His first major philosophical work.)
*L'Existentialisme est un humanisme*, 1946.
(Popular statement.)
*Critique de la raison dialectique, Vol. I*, 1960. (Second major work.)

## ESSAYS AND CRITICISM

*Situations*, 1947 ff.
*Réflexions sur la question juive*, 1946.
*Baudelaire*, 1947.
*Saint Genet, comédien et martyr*, 1952.
*L'Idiot de la famille* (study on Flaubert), 1971.

## NOVELS AND SHORT STORIES

*La Nausée*, 1938.
*Le Mur*, 1939.
*Les Chemins de la Liberté*
I. *L'Age de Raison*, 1945.
II. *Le Sursis*, 1945.
III. *La Mort dans l'Ame*, 1949.

## PLAYS

*Les Mouches*, 1942.
*Huis-Clos*, 1944.
*Morts sans Sépulture*, 1946.
*La Putain respectueuse*, 1946.
*Les Mains Sales*, 1948.

*Le Diable et le Bon Dieu*, 1951.
*Nekrassov*, 1955.
*Les Séquestrés d'Altona*, 1959.

AUTOBIOGRAPHY

*Les Mots*, 1964.

# Select Bibliography

Boros, M., *Un Séquestré, l'homme sartrien*, 1968.
Cranston, Maurice., *Sartre*, 1962.
Cumming, R. D. (Ed.), *The Philosophy of J.-P. Sartre*, 1968.
Desan, W., *The Marxism of J.-P. Sartre*, 1965.
Guicharnaud, J., *Modern French Theatre*, 1967.
Jeanson, F., *Sartre par lui-même*, 1955.
Lafarge, R., *La Philosophie de J.-P. Sartre*, 1967.
Manser, Anthony, *Sartre, a Philosophic Study*, 1966.
McCall, D., *The Theatre of J.-P. Sartre*, 1969.
Murdoch, Iris, *Sartre, Romantic Rationalist*, 1953.
Thody, P., *Jean-Paul Sartre, a Literary and Political Study*, 1960.

# Tableaux

# Personnages

HOEDERER

HUGO

OLGA

JESSICA

LOUIS

LE PRINCE

KARSKY

SLICK

GEORGES

CHARLES

FRANTZ

IVAN

# Premier Tableau

## CHEZ OLGA

*Le rez-de-chaussée d'une maisonnette, au bord de la grand-route. A droite, la porte d'entrée et une fenêtre dont les volets sont clos. Au fond, le téléphone sur une commode. A gauche, vers le fond, une porte. Table, chaises. Mobilier hétéroclite et bon marché. On sent que la personne qui vit dans cette pièce est totalement indifférente aux meubles. Sur la gauche, à côté de la porte, une cheminée: au-dessus de la cheminée une glace. Des autos passent de temps en temps sur la route. Trompes. Klaxons.*

### *SCÈNE PREMIÈRE*

OLGA, *puis* HUGO

*Olga, seule, assise devant un poste de T. S. F., manœuvre les boutons de la radio. Brouillage, puis une voix assez distincte.*

SPEAKER Les armées allemandes battent en retraite sur toute la largeur du front. Les armées soviétiques se sont emparées de Kischnar à quarante kilomètres de la frontière illyrienne. Partout où elles le peuvent les troupes illyriennes refusent le combat; de nombreux transfuges sont déjà passés du côté des Alliés. Illyriens, nous savons qu'on vous a contraints de prendre les armes contre l'U.R.S.S., nous connaissons les sentiments profondément démocratiques de la population illyrienne et nous . . .

(*Olga tourne le bouton, la voix s'arrête. Olga reste immobile, les yeux fixes. Un temps. On frappe. Elle sursaute. On frappe encore. Elle va lentement à la porte. On frappe de nouveau*)

OLGA Qui est-ce?

VOIX DE HUGO Hugo.

OLGA Qui?

VOIX DE HUGO Hugo Barine. (*Olga a un bref sursaut, puis elle reste immobile devant la porte*) Tu ne reconnais pas ma voix? Ouvre, voyons! Ouvre-moi.

(*Olga va rapidement vers la commode . . . prend un objet de la main gauche, dans le tiroir, s'entoure la main gauche d'une serviette, va ouvrir la porte, en se rejetant vivement en arrière, pour éviter les surprises. Un grand garçon de vingt-trois ans se tient sur le seuil*)

HUGO C'est moi. (*Ils se regardent un moment en silence*) Ça t'étonne?

OLGA C'est ta tête qui m'étonne.

HUGO Oui. J'ai changé. (*Un temps*) Tu m'as bien vu? Bien reconnu? Pas d'erreur possible? (*Désignant le revolver caché sous la serviette*) Alors, tu peux poser ça.

OLGA (*sans poser le revolver*) Je croyais que tu en avais pour cinq ans.

HUGO Eh bien oui: j'en avais pour cinq ans.

OLGA Entre et ferme la porte. (*Elle recule d'un pas. Le revolver n'est pas tout à fait braqué sur Hugo mais il s'en faut de peu. Hugo jette un regard amusé au revolver et tourne lentement le dos à Olga, puis ferme la porte*) Évadé?

HUGO Évadé? Je ne suis pas fou. Il a fallu qu'on me pousse dehors, par les épaules. (*Un temps*) On m'a libéré pour ma bonne conduite.

OLGA Tu as faim?

HUGO Tu aimerais, hein?

OLGA Pourquoi?

HUGO C'est si commode de donner: ça tient à distance. Et puis on a l'air inoffensif quand on mange. (*Un temps*) Excuse-moi: je n'ai ni faim ni soif.

OLGA Il suffisait de dire non.

HUGO Tu ne te rappelles donc pas: je parlais trop.

OLGA Je me rappelle.

HUGO (*regarde autour de lui*) Quel désert! Tout est là, pourtant. Ma machine à écrire?

OLGA Vendue.

HUGO Ah? (*Un temps. Il regarde la pièce*) C'est vide.

OLGA Qu'est-ce qui est vide?

HUGO (*geste circulaire*) Ça! Ces meubles ont l'air posés dans un désert. Là-bas, quand j'étendais les bras je pouvais toucher à la fois les deux murs qui se faisaient face. Rapproche-toi. (*Elle ne se rapproche pas*) C'est vrai; hors de prison on vit à distance respectueuse. Que d'espace perdu! C'est drôle d'être libre, ça donne le vertige. Il faudra que je reprenne l'habitude de parler aux gens sans les toucher.

OLGA Quand t'ont-ils lâché?

HUGO Tout à l'heure.

OLGA Tu es venu ici directement?

HUGO Où voulais-tu que j'aille?

OLGA Tu n'as parlé à personne?
(*Hugo la regarde et se met à rire*)

HUGO Non, Olga. Non. Rassure-toi. A personne.
(*Olga se détend un peu et le regarde*)

OLGA Ils ne t'ont pas rasé la tête.

HUGO Non.

OLGA Mais ils ont coupé ta mèche.
(*Un temps*)

HUGO Ça te fait plaisir de me revoir?

OLGA Je ne sais pas. (*Une auto sur la route. Klaxon; bruit de moteurs. Hugo tressaille. L'auto s'éloigne. Olga l'observe froidement*) Si c'est vrai qu'ils t'ont libéré, tu n'as pas besoin d'avoir peur.

HUGO (*ironiquement*) Tu crois? (*Il hausse les épaules. Un temps*) Que devient Louis?

OLGA Ça va.

HUGO Et Laurent?

OLGA Il . . . n'a pas eu de chance.

HUGO Je m'en doutais. Je ne sais pas pourquoi, j'avais pris l'habitude de penser à lui comme à un mort. Il doit y avoir du changement.

OLGA C'est devenu beaucoup plus dur depuis que les Allemands sont ici.

HUGO (*avec indifférence*) C'est vrai. Ils sont ici.

OLGA Depuis trois mois. Cinq divisions. En principe elles traversaient pour aller en Hongrie. Et puis elles sont restées.

HUGO Ah! Ah! (*Avec intérêt*) Il y a des nouveaux chez vous?

OLGA Beaucoup.

HUGO Des jeunes?

OLGA Pas mal de jeunes. On ne recrute pas tout à fait de la même façon. Il y a des vides à combler: nous sommes . . . moins stricts.

HUGO Oui, bien sûr: il faut s'adapter. (*Avec une légère inquiétude*) Mais pour l'essentiel, c'est la même ligne?

OLGA (*embarrassée*) Eh bien . . . en gros, naturellement.

HUGO Enfin voilà: vous avez vécu. On s'imagine mal, en prison, que les autres continuent à vivre. Il y a quelqu'un dans ta vie?

OLGA De temps en temps. (*Sur un geste d'Hugo*) Pas en ce moment.

HUGO Est-ce . . . que vous parliez de moi quelquefois?

OLGA (*mentant mal*) Quelquefois.

HUGO Ils arrivaient la nuit sur leurs vélos, comme de mon temps, ils s'asseyaient autour de la table, Louis bourrait sa pipe et quelqu'un disait: C'est par une nuit pareille que le petit s'est proposé pour une mission de confiance?

OLGA Ça ou autre chose.

HUGO Et vous disiez: il s'en est bien tiré, il a fait sa besogne proprement et sans compromettre personne.

OLGA Oui. Oui. Oui.

HUGO Quelquefois, la pluie me réveillait; je me disais: ils auront de l'eau; et puis, avant de me rendormir: c'est peut-être cette nuit-ci qu'ils parleront de moi. C'était ma principale supériorité sur les morts: je pouvais encore penser que vous pensiez à moi. (*Olga lui prend le bras d'un geste involontaire et maladroit. Ils se regardent. Olga lâche le bras d'Hugo. Hugo se raidit un peu*) Et puis, un jour, vous vous êtes dit: il en a encore pour trois ans et quand il sortira (*Changeant de ton sans quitter Olga des yeux*) . . . quand il sortira on l'abattra comme un chien pour sa récompense.

OLGA (*reculant brusquement*) Tu es fou?

HUGO Allons, Olga! Allons! (*Un temps*) C'est toi qu'ils ont chargée de m'envoyer les chocolats?

OLGA Quels chocolats?

HUGO Allons, allons!

OLGA (*impérieusement*) Quels chocolats?

HUGO Des chocolats à la liqueur, dans une boîte rose. Pendant six mois un certain Dresch m'a expédié régulièrement des colis. Comme je ne connaissais personne de ce nom, j'ai compris que les colis venaient de vous et ça m'a fait plaisir. Ensuite les envois ont cessé et je me suis dit: ils m'oublient. Et puis, voici trois mois, un paquet est arrivé, du même expéditeur, avec des chocolats et des cigarettes. J'ai fumé les cigarettes et mon voisin de cellule a mangé les chocolats. Le pauvre type s'en est très mal trouvé. Très mal. Alors j'ai pensé: ils ne m'oublient pas.

OLGA Après?

HUGO C'est tout.

OLGA Hoederer avait des amis qui ne doivent pas te porter dans leur cœur.

HUGO Ils n'auraient pas attendu deux ans pour me le faire savoir. Non, Olga, j'ai eu tout le temps de réfléchir à cette histoire et je n'ai trouvé qu'une seule explication: au début le Parti pensait que j'étais encore utilisable et puis il a changé d'avis.

OLGA (*sans dureté*) Tu parles trop, Hugo. Toujours trop. Tu as besoin de parler pour te sentir vivre.

HUGO Je ne te le fais pas dire: je parle trop, j'en sais trop long, et vous n'avez jamais eu confiance en moi. Il n'y a pas besoin de chercher plus loin. (*Un temps*) Je ne vous en veux pas, tu sais. Toute cette histoire était mal commencée.

OLGA Hugo, regarde-moi. Tu penses ce que tu dis? (*Elle le regarde*) Oui, tu le penses. (*Violemment*) Alors, pourquoi es-tu venu chez moi? Pourquoi? Pourquoi?

HUGO Parce que *toi* tu ne pourras pas tirer sur moi. (*Il regarde le revolver qu'elle tient encore et sourit*) Du moins je le suppose. (*Olga jette avec humeur le revolver entouré de son chiffon sur la table*) Tu vois.

OLGA Écoute, Hugo: je ne crois pas un mot de ce que tu m'as raconté et je n'ai pas reçu d'ordre à ton sujet. Mais si jamais j'en reçois, tu dois savoir que je ferai ce qu'on me commandera. Et si quelqu'un du Parti m'interroge, je leur dirai que tu es ici, même si l'on devait te descendre sous mes yeux. As-tu de l'argent?

HUGO Non.

OLGA Je vais t'en donner et tu t'en iras.

HUGO Où? Traîner dans les petites rues du port ou sur les docks? L'eau est froide, Olga. Ici, quoi qu'il arrive, il y a de la lumière et il fait chaud. Ce sera une fin plus confortable.

OLGA Hugo, je ferai ce que le Parti me commandera. Je te jure que je ferai ce qu'il me commandera.

HUGO Tu vois bien que c'est vrai.

OLGA Va-t'en.

HUGO Non. (*Imitant Olga*) "Je ferai ce que le Parti me commandera." Tu auras des surprises. Avec la meilleure volonté du monde, ce qu'on fait, ce n'est jamais ce que le Parti vous commande. "Tu iras chez Hoederer et tu lui lâcheras trois balles dans le ventre." Voilà un ordre simple, n'est-ce pas? J'ai été chez Hoederer et je lui ai lâché trois balles dans le ventre. Mais c'était autre chose. L'ordre? Il n'y avait plus d'ordre. Ça vous laisse tout seul les ordres, à partir d'un certain moment. L'ordre était resté en arrière et je m'avançais seul et j'ai tué tout seul et . . . et je ne sais même plus pourquoi. Je voudrais que le Parti te commande de tirer sur moi. Pour voir. Rien que pour voir.

OLGA Tu verrais. (*Un temps*) Qu'est-ce que tu vas faire à présent?

HUGO Je ne sais pas. Je n'y ai pas pensé. Quand ils ont ouvert la porte de la prison j'ai pensé que je viendrais ici et je suis venu.

OLGA Où est Jessica?

HUGO Chez son père. Elle m'a écrit quelquefois, les premiers temps. Je crois qu'elle ne porte plus mon nom.

OLGA Où veux-tu que je te loge? Il vient tous les jours des camarades. Ils entrent comme ils veulent.

HUGO Dans ta chambre aussi?

OLGA Non.

HUGO Moi, j'y entrais. Il y avait une courtepointe rouge sur le divan, aux murs un papier à losanges jaunes et verts, deux photos dont une de moi.

OLGA C'est un inventaire?

HUGO Non: je me souviens. J'y pensais souvent. La seconde photo m'a donné du fil à retordre: je ne sais plus de qui elle était.

(*Une auto passe sur la route, il sursaute. Ils se taisent tous les deux. L'auto s'arrête. Claquement de portière. On frappe*)

OLGA Qui est là?

VOIX DE CHARLES C'est Charles.

HUGO (*à voix basse*) Qui est Charles?

OLGA (*même jeu*) Un type de chez nous.

HUGO (*la regardant*) Alors?

(*Un temps très court. Charles frappe à nouveau*)

OLGA Eh bien? Qu'est-ce que tu attends? Va dans ma chambre: tu pourras compléter tes souvenirs.

(*Hugo sort. Olga va ouvrir*)

## SCÈNE II

OLGA, CHARLES *et* FRANTZ

CHARLES Où est-il?

OLGA Qui?

CHARLES Ce type. On le suit depuis sa sortie de taule. (*Bref silence*) Il n'est pas là?

OLGA Si. Il est là.

CHARLES Où?

OLGA Là.

(*Elle désigne sa chambre*)

CHARLES Bon.

(*Il fait signe à Frantz de le suivre, met la main dans la poche de son veston et fait un pas en avant. Olga lui barre la route*)

OLGA Non.

CHARLES Ça ne sera pas long, Olga. Si tu veux, va faire un tour sur la route. Quand tu reviendras tu ne trouveras plus personne et pas de traces. (*Désignant Frantz*) Le petit est là pour nettoyer.

OLGA Non.

CHARLES Laisse-moi faire mon boulot, Olga.

OLGA C'est Louis qui t'envoie?

CHARLES Oui.

OLGA Où est-il?

CHARLES Dans la voiture.

OLGA Va le chercher. (*Charles hésite*) Allons! Je te dis d'aller le chercher.

(*Charles fait un signe et Frantz disparaît. Olga et Charles restent face à face, en silence. Olga sans quitter Charles des yeux ramasse sur la table la serviette enveloppant le revolver*)

## *SCÈNE III*

OLGA, CHARLES, FRANTZ, LOUIS

LOUIS Qu'est-ce qui te prend? Pourquoi les empêches-tu de faire leur travail?

OLGA Vous êtes trop pressés.

LOUIS Trop pressés?

OLGA Renvoie-les.

LOUIS Attendez-moi dehors. Si j'appelle, vous viendrez. (*Ils sortent*) Alors? Qu'est-ce que tu as à me dire?
(*Un temps*)

OLGA (*doucement*) Louis, il a travaillé pour nous.

LOUIS Ne fais pas l'enfant, Olga. Ce type est dangereux. Il ne faut pas qu'il parle.

OLGA Il ne parlera pas.

LOUIS Lui? C'est le plus sacré bavard . . .

OLGA Il ne parlera pas.

LOUIS Je me demande si tu le vois comme il est. Tu as toujours eu un faible pour lui.

OLGA Et toi un faible contre lui. (*Un temps*) Louis, je ne t'ai pas fait venir pour que nous parlions de nos faiblesses; je te parle dans l'intérêt du Parti. Nous avons perdu beaucoup de monde depuis que les Allemands sont ici. Nous ne pouvons pas nous permettre de liquider ce garçon sans même examiner s'il est récupérable.

LOUIS Récupérable? C'était un petit anarchiste indiscipliné, un intellectuel qui ne pensait qu'à prendre des attitudes, un bourgeois qui travaillait quand ça lui chantait et qui laissait tomber le travail pour un oui, pour un non.

OLGA C'est aussi le type qui, à vingt ans, a descendu Hoederer au milieu de ses gardes du corps et s'est arrangé pour camoufler un assassinat politique en crime passionnel.

LOUIS Était-ce un assassinat politique? C'est une histoire qui n'a jamais été éclaircie.

OLGA Eh bien, justement: c'est une histoire qu'il faut éclaircir à présent.

LOUIS C'est une histoire qui pue; je ne voudrais pas y toucher. Et puis, de toute façon je n'ai pas le temps de lui faire passer un examen.

OLGA Moi, j'ai le temps. (*Geste de Louis*) Louis, j'ai peur que tu ne mettes trop de sentiment dans cette affaire.

LOUIS Olga, j'ai peur que tu n'en mettes beaucoup trop, toi aussi.

OLGA M'as-tu jamais vu céder aux sentiments? Je ne te demande pas de lui laisser la vie sans conditions. Je me moque de sa vie. Je dis seulement qu'avant de le supprimer on doit examiner si le Parti peut le reprendre.

LOUIS Le Parti ne peut plus le reprendre: plus maintenant. Tu le sais bien.

OLGA Il travaillait sous un faux nom et personne ne le connaissait sauf Laurent, qui est mort, et Dresden, qui est au front. Tu as peur qu'il ne parle? Bien encadré, il ne parlera pas. C'est un intellectuel et un anarchiste? Oui, mais c'est aussi un désespéré. Bien dirigé, il peut servir d'homme de main pour toutes les besognes. Il l'a prouvé.

LOUIS Alors? Qu'est-ce que tu proposes?

OLGA Quelle heure est-il?

LOUIS Neuf heures.

OLGA Revenez à minuit. Je saurai pourquoi il a tiré sur Hoederer, et ce qu'il est devenu aujourd'hui. Si je juge en conscience qu'il peut travailler avec nous, je vous le dirai à travers la porte, vous le laisserez dormir tranquille et vous lui donnerez vos instructions demain matin.

LOUIS Et s'il n'est pas récupérable?

OLGA Je vous ouvrirai la porte.

LOUIS Gros risque pour peu de chose.

OLGA Quel risque? Il y a des hommes autour de la maison?

LOUIS Quatre.

OLGA Qu'ils restent en faction jusqu'à minuit. (*Louis ne bouge pas*) Louis, il a travaillé pour nous. Il faut lui laisser sa chance.

LOUIS Bon. Rendez-vous à minuit.

(*Il sort*)

## *SCÈNE IV*

OLGA, *puis* HUGO

*Olga va à la porte et l'ouvre. Hugo sort.*

HUGO C'était ta sœur.

OLGA Quoi?

HUGO La photo sur le mur. C'était celle de ta sœur. (*Un temps*) Ma photo à moi, tu l'as ôtée. (*Olga ne répond pas. Il la regarde*) Tu fais une drôle de tête. Qu'est-ce qu'ils voulaient?

OLGA Ils te cherchent.

HUGO Ah! Tu leur as dit que j'étais ici?

OLGA Oui.

HUGO Bon.

(*Il va pour sortir*)

OLGA La nuit est claire et il y a des camarades autour de la maison.

HUGO Ah? (*Il s'assied à la table*) Donne-moi à manger.

(*Olga va chercher une assiette, du pain et du jambon. Pendant qu'elle dispose l'assiette et les aliments sur la table, devant lui, il parle*)

HUGO Je ne me suis pas trompé, pour ta chambre. Pas une fois. Tout est comme dans mon souvenir. (*Un temps*) Seulement quand j'étais en taule, je me disais: c'est un souvenir. La vraie chambre est là-bas, de l'autre côté du mur. Je suis entré, j'ai regardé ta chambre et elle n'avait pas l'air plus vraie que mon souvenir. La cellule aussi, c'était un rêve. Et les yeux de Hoederer, le jour où j'ai tiré sur lui. Tu crois que j'ai une chance de me réveiller? Peut-être quand tes copains viendront sur moi avec leurs joujoux . . .

OLGA Ils ne te toucheront pas tant que tu seras ici.

HUGO Tu as obtenu ça? (*Il se verse un verre de vin*) Il faudra bien que je finisse par sortir.

OLGA Attends. Tu as une nuit. Beaucoup de choses peuvent arriver en une nuit.

HUGO Que veux-tu qu'il arrive?

OLGA Des choses peuvent changer.

HUGO Quoi?

OLGA Toi. Moi.

HUGO Toi?

OLGA Ça dépend de toi.

HUGO Il s'agit que je te change?

(*Il rit, la regarde, se lève et vient vers elle. Elle s'écarte vivement*)

OLGA Pas comme ça. Comme ça, on ne me change que quand je veux bien.

(*Un temps. Hugo hausse les épaules et se rassied. Il commence à manger*)

HUGO Alors?

OLGA Pourquoi ne reviens-tu pas avec nous?

HUGO (*se mettant à rire*) Tu choisis bien ton moment pour me demander ça.

OLGA Mais si c'était possible? Si toute cette histoire reposait sur un malentendu? Tu ne t'es jamais demandé ce que tu ferais, à ta sortie de prison?

HUGO Je n'y pensais pas.

OLGA A quoi pensais-tu?

HUGO A ce que j'ai fait. J'essayais de comprendre pourquoi je l'avais fait.

OLGA As-tu fini par comprendre? (*Hugo hausse les épaules*) Comment est-ce arrivé, avec Hoederer? C'est vrai qu'il tournait autour de Jessica?

HUGO Oui.

OLGA C'est par jalousie que . . .

HUGO Je ne sais pas. Je . . . ne crois pas.

OLGA Raconte.

HUGO Quoi?

OLGA Tout. Depuis le début.

HUGO Raconter, ça ne sera pas difficile: c'est une histoire que je connais par cœur; je me la répétais tous les jours en prison. Quant à dire ce qu'elle signifie, c'est une autre affaire. C'est une histoire idiote, comme toutes les histoires. Si tu la regardes de loin, elle se tient à peu près; mais si tu te rapproches, tout fout le camp. Un acte ça va trop vite. Il sort de toi brusquement et tu ne sais pas si c'est parce que tu l'as voulu ou parce que tu n'as pas pu le retenir. Le fait est que j'ai tiré . . .

OLGA Commence par le commencement.

HUGO Le commencement, tu le connais aussi bien que moi. D'ailleurs est-ce qu'il y en a un? On peut commencer l'histoire en mars 43 quand Louis m'a convoqué. Ou bien un an plus tôt quand je suis entré au Parti. Ou peut-être plus tôt encore, à ma naissance. Enfin bon. Supposons que tout a commencé en mars 1943.

(*Pendant qu'il parle l'obscurité se fait peu à peu sur la scène*)

*Rideau*

# Deuxième Tableau

*Même décor, deux ans plus tôt, chez Olga. C'est la nuit. Par la porte du fond, côté cour, on entend un bruit de voix, une rumeur qui tantôt monte et tantôt s'évanouit comme si plusieurs personnes parlaient avec animation.*

## *SCÈNE PREMIÈRE*

HUGO, IVAN

*Hugo tape à la machine. Il paraît beaucoup plus jeune que dans la scène précédente. Ivan se promène de long en large.*

IVAN Dis!

HUGO Eh?

IVAN Tu ne pourrais pas t'arrêter de taper?

HUGO Pourquoi?

IVAN Ça m'énerve.

HUGO Tu n'as pourtant pas l'air d'un petit nerveux.

IVAN Ben non. Mais en ce moment ça m'énerve. Tu peux pas me causer?

HUGO (*avec empressement*) Moi, je ne demande pas mieux. Comment t'appelles-tu?

IVAN Dans la clandestinité, je suis Ivan. Et toi?

HUGO Raskolnikoff.

IVAN (*riant*) Tu parles d'un nom.

HUGO C'est mon nom dans le Parti.

IVAN Où c'est que tu l'as pêché?

HUGO C'est un type dans un roman.

IVAN Qu'est-ce qu'il fait?

HUGO Il tue.

IVAN Ah! Et tu as tué, toi?

HUGO Non. (*Un temps*) Qui est-ce qui t'a envoyé ici?

IVAN C'est Louis.

HUGO Et qu'est-ce que tu dois faire?

IVAN Attendre qu'il soit dix heures.

HUGO Et après?

(*Geste d'Ivan pour indiquer que Hugo ne doit pas l'interroger. Rumeur qui vient de la pièce voisine. On dirait une dispute*)

IVAN Qu'est-ce qu'ils fabriquent les gars, là-dedans?

(*Geste de Hugo qui imite celui d'Ivan, plus haut, pour indiquer qu'on ne doit pas l'interroger*)

HUGO Tu vois: ce qu'il y a d'embêtant, c'est que la conversation ne peut pas aller bien loin.

(*Un temps*)

IVAN Il y a longtemps que tu es au Parti?

HUGO Depuis 42; ça fait un an. J'y suis entré quand le Régent a déclaré la guerre à l'U.R.S.S. Et toi?

IVAN Je ne me rappelle même plus. Je crois bien que j'y ai toujours été. (*Un temps*) C'est toi qui fais le journal?

HUGO Moi et d'autres.

IVAN Il me passe souvent par les pattes mais je ne le lis pas. C'est pas votre faute mais vos nouvelles sont en retard de huit jours sur la B.B.C. ou la Radio Soviétique.

HUGO Où veux-tu qu'on les prenne, les nouvelles? On est comme vous, on les écoute à la Radio.

IVAN Je ne dis pas. Tu fais ton boulot, il n'y a rien à te reprocher. (*Un temps*) Quelle heure est-il?

HUGO Dix heures moins cinq.

IVAN Ouf.

(*Il bâille*)

HUGO Qu'est-ce que tu as?

IVAN Rien.

HUGO Tu ne te sens pas bien.

IVAN Si. Ça va.

HUGO Tu n'as pas l'air à ton aise.

IVAN Ça va, je te dis. Je suis toujours comme ça avant.

HUGO Avant quoi?

IVAN Avant rien. (*Un temps*) Quand je serai sur mon vélo, ça ira mieux. (*Un temps*) Je me sens trop doux. Je ne ferais pas de mal à une mouche.

(*Il bâille. Entre Olga, par la porte d'entrée*)

## *SCÈNE II*

*Les mêmes*, OLGA

*Elle pose une valise près de la porte.*

OLGA (*à Ivan*) Voilà. Tu pourras la fixer sur ton porte-bagage?

IVAN Montre. Oui. Très bien.

OLGA Il est dix heures. Tu peux filer. On t'a dit pour le barrage et la maison?

IVAN Oui.

OLGA Alors bonne chance.

IVAN Parle pas de malheur. (*Un temps*) Tu m'embrasses?

OLGA Bien sûr.

(*Elle l'embrasse sur les deux joues*)

IVAN (*il va prendre la valise et se retourne au moment de sortir. Avec une emphase comique*) Au revoir, Raskolnikoff.

HUGO (*en souriant*) Va au diable.

(*Ivan sort*)

## *SCÈNE III*

HUGO, OLGA

OLGA Tu n'aurais pas dû lui dire d'aller au diable.

HUGO Pourquoi?

OLGA Ce ne sont pas des choses qu'on dit.

HUGO (*étonné*) Toi, Olga, tu es superstitieuse?

OLGA (*agacée*) Mais non.
(*Hugo la regarde attentivement*)

HUGO Qu'est-ce qu'il va faire?

OLGA Tu n'as pas besoin de le savoir.

HUGO Il va faire sauter le pont de Korsk?

OLGA Pourquoi veux-tu que je te le dise? En cas de coup dur, moins tu en sauras, mieux ça vaudra.

HUGO Mais tu le sais, toi, ce qu'il va faire?

OLGA (*haussant les épaules*) Oh! moi . . .

HUGO Bien sûr: toi, tu tiendras ta langue. Tu es comme Louis: ils te tueraient sans que tu parles. (*Un bref silence*) Qui vous prouve que je parlerais? Comment pourrez-vous me faire confiance si vous ne me mettez pas à l'épreuve?

OLGA Le Parti n'est pas une école du soir. Nous ne cherchons pas à t'éprouver mais à t'employer selon ta compétence.

HUGO (*désignant la machine à écrire*) Et ma compétence, c'est ça?

OLGA Saurais-tu déboulonner des rails?

HUGO Non.

OLGA Alors? (*Un silence. Hugo se regarde dans la glace*) Tu te trouves beau?

HUGO Je regarde si je ressemble à mon père. (*Un temps*) Avec des moustaches, ce serait frappant.

OLGA (*haussant les épaules*) Après?

HUGO Je n'aime pas mon père.

OLGA On le sait.

HUGO Il m'a dit: "Moi aussi, dans mon temps, j'ai fait partie d'un groupe révolutionnaire; j'écrivais dans leur journal. Ça te passera comme ça m'a passé . . ."

OLGA Pourquoi me racontes-tu ça?

HUGO Pour rien. J'y pense chaque fois que je me regarde dans une glace. C'est tout.

OLGA (*désignant la porte de la salle de réunion*) Louis est là-dedans?

HUGO Oui.

OLGA Et Hoederer?

HUGO Je ne le connais pas, mais je suppose. Qui est-ce au juste?

OLGA C'était un député du Landstag avant la dissolution. A présent il est secrétaire du Parti. Hoederer, ça n'est pas son vrai nom.

HUGO Quel est son vrai nom?

OLGA Je t'ai déjà dit que tu étais trop curieux.

HUGO Ça crie fort. Ils ont l'air de se bagarrer.

OLGA Hoederer a réuni le comité pour le faire voter sur une proposition.

HUGO Quelle proposition?

OLGA Je ne sais pas. Je sais seulement que Louis est contre.

HUGO (*souriant*) Alors, s'il est contre, je suis contre aussi. Pas besoin de savoir de quoi il s'agit. (*Un temps*) Olga, il faut que tu m'aides.

OLGA A quoi?

HUGO A convaincre Louis qu'il me fasse faire de l'action directe. J'en ai assez d'écrire pendant que les copains se font tuer.

OLGA Tu cours des risques, toi aussi.

HUGO Pas les mêmes. (*Un temps*) Olga, je n'ai pas envie de vivre.

OLGA Vraiment? Pourquoi?

HUGO (*geste*) Trop difficile.

OLGA Tu es marié, pourtant.

HUGO Bah!

OLGA Tu aimes ta femme.

HUGO Oui. Bien sûr. (*Un temps*) Un type qui n'a pas envie de vivre, ça doit pouvoir servir, si on sait l'utiliser. (*Un temps. Cris et rumeurs qui viennent de la salle de réunion*) Ça va mal, là-dedans.

OLGA (*inquiète*) Très mal.

## *SCÈNE IV*

*Les mêmes*, LOUIS

*La porte s'ouvre. Louis sort avec deux autres hommes qui passent rapidement, ouvrent la porte d'entrée et sortent.*

LOUIS C'est fini.

OLGA Hoederer?

LOUIS Il est parti par derrière avec Boris et Lucas.

OLGA Alors?

LOUIS (*hausse les épaules sans répondre. Un temps. Puis*) Les salauds!

OLGA Vous avez voté?

LOUIS Oui. (*Un temps*) Il est autorisé à engager les pourparlers. Quand il reviendra avec des offres précises, il emportera le morceau.

OLGA A quand la prochaine réunion?

LOUIS Dans dix jours. Ça nous donne toujours une semaine. (*Olga lui désigne Hugo*) Quoi? Ah! oui . . . Tu es encore là, toi? (*Il le regarde et reprend distraitement*) Tu es encore là . . . (*Hugo fait un geste pour s'en aller*) Reste. J'ai peut-être du travail pour toi. (*A Olga*) Tu le connais mieux que moi. Qu'est-ce qu'il vaut?

OLGA Ça peut aller.

LOUIS Il ne risque pas de se dégonfler?

OLGA Sûrement pas. Ce serait plutôt . . .

LOUIS Quoi?

OLGA Rien. Ça peut aller.

LOUIS Bon. (*Un temps*) Ivan est parti?

OLGA Il y a un quart d'heure.

LOUIS Nous sommes aux premières loges: on entendra l'explosion d'ici. (*Un temps. Il revient vers Hugo*) Il paraît que tu veux *agir*?

HUGO Oui.

LOUIS Pourquoi?

HUGO Comme ça.

LOUIS Parfait. Seulement tu ne sais rien faire de tes dix doigts.

HUGO En effet. Je ne sais rien faire.

LOUIS Alors?

HUGO En Russie, à la fin de l'autre siècle, il y avait des types qui se plaçaient sur le passage d'un grand-duc avec une bombe dans leur poche. La bombe éclatait, le grand-duc sautait et le type aussi. Je peux faire ça.

LOUIS C'étaient des anars. Tu en rêves parce que tu es comme eux: un intellectuel anarchiste. Tu as cinquante ans de retard: le terrorisme, c'est fini.

HUGO Alors je suis un incapable.

LOUIS Dans ce domaine-là, oui.

HUGO N'en parlons plus.

LOUIS Attends. (*Un temps*) Je vais peut-être te trouver quelque chose à faire.

HUGO Du *vrai* travail?

LOUIS Pourquoi pas?

HUGO Et tu me ferais *vraiment* confiance?

LOUIS Ça dépend de toi.

HUGO Louis, je ferai n'importe quoi.

LOUIS Nous allons voir. Assieds-toi. (*Un temps*) Voilà la situation: d'un côté le gouvernement fasciste du Régent qui a aligné sa politique sur celle de l'Axe; de l'autre notre Parti qui se bat pour la démocratie, pour la liberté, pour une société sans classes. Entre les deux, le Pentagone qui groupe clandestinement les bourgeois libéraux et nationalistes. Trois groupes d'intérêts inconciliables, trois groupes d'hommes qui se haïssent. (*Un temps*) Hoederer nous a réunis ce soir parce qu'il veut que le Parti prolétarien s'associe aux fascistes et au Pentagone pour partager le pouvoir avec eux, après la guerre. Qu'en penses-tu?

HUGO (*souriant*) Tu te moques de moi.

LOUIS Pourquoi?

HUGO Parce que c'est idiot.

LOUIS C'est pourtant ça qu'on vient de discuter ici pendant trois heures.

HUGO (*ahuri*) Enfin . . . C'est comme si tu me disais qu'Olga nous a tous dénoncés à la police et que le Parti lui a voté des félicitations.

LOUIS Que ferais-tu si la majorité s'était déclarée en faveur de ce rapprochement?

HUGO Tu me le demandes sérieusement?

LOUIS Oui.

HUGO J'ai quitté ma famille et ma classe, le jour où j'ai compris ce que c'était que l'oppression. En aucun cas, je n'accepterais de compromis avec elle.

LOUIS Mais si les choses en étaient venues là?

HUGO Alors, je prendrais un pétard et j'irais descendre un flic sur la place Royale ou avec un peu de chance un milicien. Et puis j'attendrais à côté du cadavre pour voir ce qui m'arriverait. (*Un temps*) Mais c'est une blague.

LOUIS Le comité a accepté la proposition de Hoederer par quatre voix contre trois. Dans la semaine qui vient, Hoederer rencontrera les émissaires du Régent.

HUGO Est-ce qu'il est vendu?

LOUIS Je ne sais pas et je m'en fous. Objectivement, c'est un traître; ça me suffit.

HUGO Mais Louis . . . enfin, je ne sais pas, moi, c'est . . . c'est absurde: le Régent nous hait, il nous traque, il combat contre l'U.R.S.S. aux côtés de l'Allemagne, il a fait fusiller des gens de chez nous: comment peut-il . . .?

LOUIS Le Régent ne croit plus à la victoire de l'Axe: il veut sauver sa peau. Si les Alliés gagnent, il veut pouvoir dire qu'il jouait double jeu.

HUGO Mais les copains . . .

LOUIS Tout le P.A.C. que je représente est contre Hoederer. Seulement, tu sais ce que c'est: le Parti prolétarien est né de la fusion du P.A.C. et des sociaux-démocrates. Les sociaux-démocrates ont voté pour Hoederer et ils ont la majorité.

HUGO Pourquoi ont-ils . . .?

LOUIS Parce qu'Hoederer leur fait peur . . .

HUGO Est-ce que nous ne pouvons pas les lâcher?

LOUIS Une scission? Impossible. (*Un temps*) Tu es avec nous, petit?

HUGO Olga et toi vous m'avez tout appris et je vous dois tout. Pour moi, le Parti, c'est vous.

LOUIS (*à Olga*) Il pense ce qu'il dit?

OLGA Oui.

LOUIS Bon. (*A Hugo*) Tu comprends bien la situation: nous ne pouvons ni nous en aller ni l'emporter au comité. Mais il s'agit uniquement d'une manœuvre de Hoederer. Sans Hoederer, nous mettons les autres dans notre poche. (*Un temps*) Hoederer a demandé mardi dernier au Parti de lui fournir un secrétaire. Un étudiant. Marié.

HUGO Pourquoi, marié?

LOUIS Je ne sais pas. Tu es marié?

HUGO Oui.

LOUIS Alors? Tu es d'accord?
(*Ils se regardent un moment*)

HUGO (*avec force*) Oui.

LOUIS Très bien. Tu partiras demain avec ta femme. Il habite à vingt kilomètres d'ici, dans une maison de campagne qu'un ami lui a prêtée. Il vit avec trois costauds qui sont là en cas de coup dur. Tu n'auras qu'à le surveiller; nous établirons une liaison dès ton arrivée. Il ne faut pas qu'il rencontre les envoyés du Régent. Ou, en tout cas, il ne faut pas qu'il les rencontre deux fois, tu m'as compris?

HUGO Oui.

LOUIS Le soir que nous te dirons, tu ouvriras la porte à trois camarades qui achèveront la besogne; il y aura une auto sur la route et tu fileras avec ta femme pendant ce temps-là.

HUGO Oh! Louis.

LOUIS Quoi?

HUGO C'est donc ça? Ce n'est que ça? Voilà ce dont tu me juges capable?

LOUIS Tu n'es pas d'accord?

HUGO Non. Pas du tout: je ne veux pas faire le mouton. On a des manières, nous autres. Un intellectuel anarchiste n'accepte pas n'importe quelle besogne.

OLGA Hugo!

HUGO Mais voici ce que je vous propose: pas besoin de liaison, ni d'espionnage. Je ferai l'affaire moi-même.

LOUIS Toi?

HUGO Moi.

LOUIS C'est du travail trop dur pour un amateur.

HUGO Vos trois tueurs, ils rencontreront peut-être les gardes du corps de Hoederer; ils risquent de se faire descendre. Moi, si je suis son secrétaire et si je gagne sa confiance, je serai seul avec lui plusieurs heures par jour.

LOUIS (*hésitant*) Je ne . . .

OLGA Louis!

LOUIS Eh?

OLGA (*doucement*) Fais-lui confiance. C'est un petit gars qui cherche sa chance. Il ira jusqu'au bout.

LOUIS Tu réponds de lui?

OLGA Entièrement.

LOUIS Bon. Alors écoute . . .

(*Explosion sourde dans le lointain*)

OLGA Il a réussi.

LOUIS Éteins! Hugo, ouvre la fenêtre!

(*Ils éteignent et ouvrent la fenêtre. Au fond la lueur rouge d'un incendie*)

OLGA Ça brûle, là-bas. Ça brûle. Tout un incendie. Il a réussi.

(*Ils sont tous à la fenêtre*)

HUGO Il a réussi. Avant la fin de la semaine, vous serez ici, tous les deux, par une nuit pareille, et vous attendrez les nouvelles; et vous serez inquiets et vous parlerez de moi et je compterai pour vous. Et vous vous demanderez: qu'est-ce qu'il fait? Et puis il y aura un coup de téléphone ou bien quelqu'un frappera à la porte et vous vous sourirez comme vous faites à présent et vous vous direz: "Il a réussi."

*Rideau*

# Troisième Tableau

*Un pavillon. Un lit, armoires, fauteuils, chaises. Des vêtements de femme sur toutes les chaises, des valises ouvertes sur le lit.*

*Jessica emménage. Elle va regarder à la fenêtre. Revient. Va à une valise fermée qui est dans un coin (initiales H. B.), la tire sur le devant de la scène, va jeter un coup d'œil à la fenêtre, va chercher un complet d'homme pendu dans un placard, fouille dans les poches, sort une clé, ouvre la valise, fouille hâtivement, va regarder à la fenêtre, revient, fouille, trouve quelque chose qu'elle regarde, dos tourné au public, nouveau coup d'œil à la fenêtre. Elle tressaille, ferme rapidement la valise, remet la clé dans le veston et cache, sous le matelas, les objets qu'elle tient à la main.*

*Hugo entre.*

## *SCÈNE PREMIÈRE*

JESSICA, HUGO

HUGO Il n'en finissait pas. Tu as trouvé le temps long?

JESSICA Horriblement.

HUGO Qu'as-tu fait?

JESSICA J'ai dormi.

HUGO On ne trouve pas le temps long quand on dort.

JESSICA J'ai rêvé que je trouvais le temps long, ça m'a réveillée et j'ai défait les valises. Qu'est-ce que tu penses de l'installation? (*Elle désigne le pêle-mêle des vêtements sur le lit et les chaises*)

HUGO Je ne sais pas. Elle est provisoire?

JESSICA (*fermement*) Définitive.

HUGO Très bien.

JESSICA Comment est-il?

HUGO Qui?

JESSICA Hoederer.

HUGO Hoederer? Comme tout le monde.

JESSICA Quel âge a-t-il?

HUGO Entre deux âges.

JESSICA Entre lesquels?

HUGO Vingt et soixante.

JESSICA Grand ou petit?

HUGO Moyen.

JESSICA Signe distinctif?

HUGO Une grande balafre, une perruque et un œil de verre.

JESSICA Quelle horreur!

HUGO C'est pas vrai. Il n'a pas de signes distinctifs.

JESSICA Tu fais le malin mais tu serais bien incapable de me le décrire.

HUGO Bien sûr que si, j'en serais capable.

JESSICA Non, tu n'en serais pas capable.

HUGO Si.

JESSICA Non. Quelle est la couleur de ses yeux?

HUGO Gris.

JESSICA Ma pauvre abeille, tu crois que tous les yeux sont gris. Il y en a des bleus, des marrons, des verts et des noirs. Il y en a même de mauves. Quelle est la couleur des miens? (*Elle se cache les yeux avec sa main*) Ne regarde pas.

HUGO Ce sont deux pavillons de soie, deux jardins andalous, deux poissons de lune.

JESSICA Je te demande leur couleur.

HUGO Bleu.

JESSICA Tu as regardé.

HUGO Non, mais tu me l'as dit ce matin.

JESSICA Idiot. (*Elle vient sur lui*) Hugo, réfléchis bien : est-ce qu'il a une moustache?

HUGO Non. (*Un temps. Fermement*) Je suis sûr que non.

JESSICA (*tristement*) Je voudrais pouvoir te croire.

HUGO (*réfléchit puis se lance*) Il avait une cravate à pois.

JESSICA A pois?

HUGO A pois.

JESSICA Bah?

HUGO Le genre . . . (*Il fait le geste de nouer une lavallière*) Tu sais.

JESSICA Tu t'es trahi, tu t'es livré ! Tout le temps qu'il te parlait, tu as regardé sa cravate. Hugo, il t'a intimidé.

HUGO Mais non !

JESSICA Il t'a intimidé !

HUGO Il n'est pas intimidant.

JESSICA Alors pourquoi regardais-tu sa cravate?

HUGO Pour ne pas l'intimider.

JESSICA C'est bon. Moi je le regarderai et quand tu voudras savoir comment il est fait, tu n'auras qu'à me le demander. Qu'est-ce qu'il t'a dit?

HUGO Je lui ai dit que mon père était vice-président des Charbonnières de Tosk et que je l'avais quitté pour entrer au Parti.

JESSICA Qu'est-ce qu'il t'a répondu?

HUGO Que c'était bien.

JESSICA Et après?

HUGO Je ne lui ai pas caché que j'avais mon doctorat mais je lu ai bien fait comprendre que je n'étais pas un intellectuel et que je ne rougissais pas de faire un travail de copiste et que je mettais mon point d'honneur dans l'obéissance et la discipline la plus stricte.

JESSICA Et qu'est-ce qu'il t'a répondu?

HUGO Que c'était bien.

JESSICA Et ça vous a pris deux heures?

HUGO Il y a eu les silences.

JESSICA Tu es de ces gens qui vous racontent toujours ce qu'ils disent aux autres et jamais ce que les autres leur ont répondu.

HUGO C'est parce que je pense que tu t'intéresses plus à moi qu'aux autres.

JESSICA Bien sûr, mon abeille. Mais toi, je t'ai. Les autres, je ne les ai pas.

HUGO Tu veux avoir Hoederer?

JESSICA Je veux avoir tout le monde.

HUGO Hum! Il est vulgaire.

JESSICA Comment le sais-tu puisque tu ne l'as pas regardé?

HUGO Il faut être vulgaire pour porter une cravate à pois.

JESSICA Les impératrices grecques couchaient avec des généraux barbares.

HUGO Il n'y avait pas d'impératrices en Grèce.

JESSICA A Byzance il y en avait.

HUGO A Byzance il y avait des généraux barbares et des impératrices grecques mais on ne dit pas ce qu'ils faisaient ensemble.

JESSICA Qu'est-ce qu'ils pouvaient faire d'autre? (*Un léger silence*) Il t'a demandé comment j'étais?

HUGO Non.

JESSICA D'ailleurs tu n'aurais pas pu lui répondre: tu n'en sais rien. Il n'a rien dit d'autre sur moi?

HUGO Rien.

JESSICA Il manque de manières.

HUGO Tu vois. D'ailleurs il est trop tard pour t'intéresser à lui.

JESSICA Pourquoi?

HUGO Tu tiendras ta langue?

JESSICA A deux mains.

HUGO Il va mourir.

JESSICA Il est malade?

HUGO Non, mais il va être assassiné. Comme tous les hommes politiques.

JESSICA Ah! (*Un temps*) Et toi, petite abeille, es-tu un homme politique?

HUGO Certainement.

JESSICA Et qu'est-ce que doit faire la veuve d'un homme politique?

HUGO Elle entre dans le parti de son mari et elle achève son œuvre.

JESSICA Seigneur! J'aimerais beaucoup mieux me tuer sur ta tombe.

HUGO Ça ne se fait plus qu'à Malabar.

JESSICA Alors, écoute ce que je ferais: j'irais trouver tes assassins un à un, je les ferais brûler d'amour, et quand ils croiraient enfin pouvoir consoler ma langueur hautaine et désolée, je leur plongerais un couteau dans le cœur.

HUGO Qu'est-ce qui t'amuserait le plus? Les tuer ou les séduire?

JESSICA Tu es bête et vulgaire.

HUGO Je croyais que tu aimais les hommes vulgaires. (*Jessica ne répond pas*) On joue ou on ne joue pas?

JESSICA On ne joue plus. Laisse-moi défaire mes valises.

HUGO Va! Va!

JESSICA Il ne reste plus que la tienne. Donne-moi la clé.

HUGO Je te l'ai donnée.

JESSICA (*désignant la valise qu'elle a ouverte au début du tableau*) Pas de celle-là.

HUGO Celle-là, je la déferai moi-même.

JESSICA Ce n'est pas ton affaire, ma petite âme.

HUGO Depuis quand est-ce la tienne? Tu veux jouer à la femme d'intérieur?

JESSICA Tu joues bien au révolutionnaire.

HUGO Les révolutionnaires n'ont pas besoin de femmes d'intérieur: ils leur coupent la tête.

JESSICA Ils préfèrent les louves aux cheveux noirs, comme Olga.

HUGO Tu es jalouse?

JESSICA Je voudrais bien. Je n'y ai jamais joué. On y joue?

HUGO Si tu veux.

JESSICA Bon. Alors donne-moi la clé de cette valise.

HUGO Jamais!

JESSICA Qu'est-ce qu'il y a dans cette valise?

HUGO Un secret honteux.

JESSICA Quel secret?

HUGO Je ne suis pas le fils de mon père.

JESSICA Comme ça te ferait plaisir, mon abeille. Mais ce n'est pas possible: tu lui ressembles trop.

HUGO Ce n'est pas vrai! Jessica. Tu trouves que je lui ressemble?

JESSICA On joue ou on ne joue pas?

HUGO On joue.

JESSICA Alors, ouvre cette valise.

HUGO J'ai juré de ne pas l'ouvrir.

JESSICA Elle est bourrée de lettres de la louve! ou de photos peut-être? Ouvre!

HUGO Non.

JESSICA Ouvre. Ouvre.

HUGO Non et non.

JESSICA Tu joues?

HUGO Oui.

JESSICA Alors, pouce: je ne joue plus. Ouvre la valise.

HUGO Pouce cassé: je ne l'ouvrirai pas.

JESSICA Ça m'est égal, je sais ce qu'il y a dedans.

HUGO Qu'est-ce qu'il y a?

JESSICA Il y a . . . il y a . . . (*Elle passe la main sous le matelas, puis met les deux mains derrière son dos et brandit des photos*) Ça!

HUGO Jessica!

JESSICA (*triomphante*) J'ai trouvé la clé dans ton costume bleu, je sais quelle est ta maîtresse, ta princesse, ton impératrice. Ça n'est pas moi, ça n'est pas la louve, c'est toi mon chéri, c'est toi-même. Douze photos de toi dans ta valise.

HUGO Rends-moi ces photos.

JESSICA Douze photos de ta jeunesse rêveuse. A trois ans, à six ans, à huit, à dix, à douze, à seize. Tu les as emportées quand ton père t'a chassé, elles te suivent partout: comme il faut que tu t'aimes.

HUGO Jessica, je ne joue plus.

JESSICA A six ans, tu portais un col dur, ça devait racler ton cou de poulet, et puis tout un habit de velours avec une lavallière. Quel beau petit homme, quel enfant sage! Ce sont les enfants sages, Madame, qui font les révolutionnaires les plus terribles. Ils ne disent rien, ils ne se cachent pas sous la table, ils ne mangent qu'un bonbon à la fois, mais plus tard ils le font payer cher à la Société. Méfiez-vous des enfants sages!

(*Hugo qui fait semblant de se résigner saute brusquement sur elle*)

HUGO Tu me les rendras, sorcière! Tu vas me les rendre.

JESSICA Lâche-moi! (*Il la renverse sur le lit*) Attention; tu vas nous faire tuer.

HUGO Rends-les.

JESSICA Je te dis que le revolver va partir! (*Hugo se relève, elle montre le revolver qu'elle a tenu derrière son dos*) Il y avait aussi ça, dans ta valise.

HUGO Donne.

(*Il le lui prend, va fouiller dans son costume bleu, prend la clé, revient à la valise, l'ouvre, ramasse les photos et les met avec le revolver dans la valise. Un temps*)

JESSICA Qu'est-ce que c'est que ce revolver?

HUGO J'en ai toujours un avec moi.

JESSICA C'est pas vrai. Tu n'en avais pas avant de venir ici. Et tu n'avais pas non plus cette valise. Tu les as achetés en même temps. Pourquoi as-tu ce revolver?

HUGO Tu veux le savoir?

JESSICA Oui, mais réponds-moi sérieusement. Tu n'as pas le droit de me tenir en dehors de ta vie.

HUGO Tu n'en parleras à personne?

JESSICA A personne au monde.

HUGO C'est pour tuer Hoederer.

JESSICA Tu es assommant, Hugo. Je te dis que je ne joue plus.

HUGO Ha! Ha! Est-ce que je joue? Est-ce que je suis sérieux? Mystère . . . Jessica, tu seras la femme d'un assassin!

JESSICA Mais tu ne pourras jamais, ma pauvre petite abeille; veux-tu que je le tue à ta place? J'irai m'offrir à lui et je . . .

HUGO Merci, et puis tu le manqueras! J'agirai moi-même.

JESSICA Mais pourquoi veux-tu le tuer? Un homme que tu ne connais pas.

HUGO Pour que ma femme me prenne au sérieux. Est-ce que tu me prendras au sérieux?

JESSICA Moi? Je t'admirerai, je te cacherai, je te nourrirai, je te distrairai dans ta cachette et quand nous aurons été dénoncés par les voisins, je me jetterai sur toi malgré les gendarmes et je te prendrai dans mes bras en te criant: je t'aime . . .

HUGO Dis-le-moi à présent.

JESSICA Quoi?

HUGO Que tu m'aimes.

JESSICA Je t'aime.

HUGO Dis-le-moi pour de vrai.

JESSICA Je t'aime.

HUGO Ce n'est pas pour de vrai.

JESSICA Mais qu'est-ce qui te prend? Tu joues?

HUGO Non. Je ne joue pas.

JESSICA Pourquoi me demandes-tu ça? Ce n'est pas dans tes habitudes.

HUGO Je ne sais pas. J'ai envie de penser que tu m'aimes. C'est bien mon droit. Allons, dis-le. Dis-le *bien*.

JESSICA Je t'aime. Je t'aime. Non: je t'aime. Ah! va au diable. Comment le dis-tu, toi?

HUGO Je t'aime.

JESSICA Tu vois: tu ne sais pas mieux que moi.

HUGO Jessica, tu ne crois pas ce que je t'ai dit.

JESSICA Que tu m'aimais?

HUGO Que j'allais tuer Hoederer.

JESSICA Naturellement, je le crois.

HUGO Fais un effort, Jessica. Sois sérieuse.

JESSICA Pourquoi faut-il que je sois sérieuse?

HUGO Parce qu'on ne peut pas jouer tout le temps.

JESSICA Je n'aime pas le sérieux mais on va s'arranger: je vais jouer à être sérieuse.

HUGO Regarde-moi dans les yeux. Sans rire. Écoute: pour Hoederer, c'est vrai. C'est le Parti qui m'envoie.

JESSICA Je n'en doute pas. Pourquoi ne me l'as-tu pas dit plus tôt?

HUGO Peut-être tu aurais refusé de m'accompagner.

JESSICA Pourquoi? Ce sont des affaires d'homme, ça ne me regarde pas.

HUGO C'est une drôle de besogne, tu sais . . . Le type a l'air coriace.

JESSICA Eh bien, nous allons le chloroformer et l'attacher à la gueule d'un canon.

HUGO Jessica! Je suis sérieux.

JESSICA Moi aussi.

HUGO Toi, tu joues à être sérieuse. Tu me l'as dit.

JESSICA Non, c'est toi.

HUGO Il faut me croire, je t'en supplie.

JESSICA Je te croirai si tu crois que je suis sérieuse.

HUGO Bon. Eh bien, je te crois.

JESSICA Non. Tu joues à me croire.

HUGO Nous n'en sortirons pas. (*On frappe à la porte*) Entrez! (*Jessica se place devant la valise, dos tourné au public, pendant qu'il va ouvrir*)

## *SCÈNE II*

SLICK, GEORGES, HUGO, JESSICA

*Slick et Georges entrent, souriants. Mitraillettes et ceinturons avec revolvers. Un silence.*

GEORGES C'est nous.

HUGO Oui?

GEORGES On venait voir si vous n'aviez pas besoin d'un coup de main.

HUGO Un coup de main pour quoi faire?

SLICK Pour emménager.

JESSICA Vous êtes bien gentils mais je n'ai besoin de personne.

GEORGES (*désignant les vêtements de femme épars sur les meubles*) Tout ça faut le plier.

SLICK Ça irait plus vite si on s'y mettait tous les quatre.

JESSICA Vous croyez?

SLICK (*il a pris une combinaison sur un dossier de chaise et la tient à bout de bras*) Ça se plie par le milieu, non? Et puis on rabat les côtés?

JESSICA Oui? Eh bien, je vous verrais plutôt vous spécialiser dans le travail de force.

GEORGES Touche pas, Slick. Ça va te donner des idées. Excusez-le, Madame: nous n'avons pas vu de femme depuis six mois.

SLICK On ne savait même plus comment c'était bâti. (*Ils la regardent*)

JESSICA Ça vous revient?

GEORGES Peu à peu.

JESSICA Il n'y en a donc pas, au village?

SLICK Il y en a, mais on ne sort pas.

GEORGES L'ancien secrétaire sautait le mur toutes les nuits, total qu'on l'a retrouvé un matin la tête dans une mare. Alors le vieux a décidé que le suivant serait marié pour avoir sa suffisance à domicile.

JESSICA C'était très délicat de sa part.

SLICK Seulement, nous, c'est pas dans ses idées qu'on ait notre suffisance.

JESSICA Tiens? Pourquoi?

GEORGES Il dit qu'il veut qu'on soit des bêtes sauvages.

HUGO Ce sont les gardes du corps de Hoederer.

JESSICA Figure-toi que je l'avais deviné.

SLICK (*désignant sa mitraillette*) A cause de ça?

JESSICA A cause de ça aussi.

GEORGES Faudrait pas nous prendre pour des professionnels, hein? Moi je suis plombier. On fait un petit extra, parce que le Parti nous l'a demandé.

SLICK Vous n'avez pas peur de nous?

JESSICA Au contraire; seulement j'aimerais (*désignant mitraillettes et revolvers*) que vous vous débarrassiez de votre panoplie. Posez ça dans un coin.

GEORGES Impossible.

SLICK Défendu.

JESSICA Est-ce que vous vous en séparez pour dormir?

GEORGES Non, Madame.

JESSICA Non?

SLICK Non.

HUGO Ils sont à cheval sur le règlement. Quand je suis entré chez Hoederer, ils me poussaient avec le canon de leurs mitraillettes.

GEORGES (*riant*) Voilà comme nous sommes.

SLICK (*riant*) S'il avait bronché, vous seriez veuve.

(*Tout le monde rit*)

JESSICA Il a donc bien peur, votre patron.

SLICK Il n'a pas peur mais il ne veut pas qu'on le tue.

JESSICA Pourquoi le tuerait-on?

SLICK Pourquoi, je ne sais pas. Mais ce qui est sûr c'est qu'on veut le tuer. Ses copains sont venus l'avertir, il y a tantôt quinze jours.

JESSICA Comme c'est intéressant.

SLICK Faut monter la garde, c'est tout. Oh! Vous en reviendrez. Ce n'est même pas spectaculaire.

(*Pendant la réplique de Slick, Georges fait un tour dans la pièce d'un air faussement négligent. Il va au placard ouvert et en sort le costume de Hugo*)

GEORGES Hé, Slick! Vise-moi s'il est bien loqué!

SLICK Ça fait partie de son métier. Un secrétaire, tu le regardes pendant qu'il écrit ce que tu causes, faut qu'il te plaise, sans ça, tu perds le fil de tes idées.

(*Georges palpe le costume en feignant de le brosser*)

GEORGES Méfiez-vous des placards, les murs sont cra-cra.

(*Il va remettre le costume dans le placard puis revient près de Slick. Jessica et Hugo se regardent*)

JESSICA (*prenant son parti*) Eh bien . . . asseyez-vous.

SLICK Non. Non. Merci.

GEORGES Ça va comme ça.

JESSICA Nous ne pouvons rien vous offrir à boire.

SLICK N'importe comment nous ne buvons pas dans le service.

HUGO Et vous êtes en service?

GEORGES Nous sommes *toujours* en service.

HUGO Ah?

SLICK Je vous dis, faut être des saints pour faire ce sacré métier.

HUGO Moi je ne suis pas encore en service. Je suis chez moi, avec ma femme. Asseyons-nous, Jessica.

(*Ils s'asseyent tous deux*)

SLICK (*allant à la fenêtre*) Belle vue.

GEORGES C'est joli chez eux.

SLICK Et calme.

GEORGES T'as vu le lit s'il est grand . . . il y en a pour trois.

SLICK Pour quatre: des jeunes mariés ça se blottit.

GEORGES Toute cette place perdue, quand il y en a qui couchent par terre.

SLICK Tais-toi, je vais en rêver cette nuit.

JESSICA Vous n'avez pas de lit?

SLICK (*égayé*) Georges!

GEORGES (*riant*) Oui.

SLICK Elle demande si on a un lit!

GEORGES (*désignant Slick*) Il dort sur le tapis du bureau, moi dans le couloir, devant la chambre du vieux.

JESSICA Et c'est dur?

GEORGES Ça serait dur pour votre mari, parce qu'il a l'air délicat. Nous autres on s'y est fait. L'ennui, c'est qu'on n'a pas de pièce où se tenir. Le jardin n'est pas sain, alors on passe la journée dans le vestibule.

(*Il se baisse et regarde sous le lit*)

HUGO Qu'est-ce que vous regardez?

GEORGES Des fois qu'il y aurait des rats.

(*Il se relève*)

HUGO Il n'y en a pas?

GEORGES Non.

HUGO Tant mieux.

(*Un temps*)

JESSICA Et vous l'avez laissé tout seul votre patron? Vous n'avez pas peur qu'il lui arrive malheur si vous restez trop longtemps absents?

SLICK Il y a Léon, qui est resté là-bas. (*Désignant l'appareil téléphonique*) Et puis, s'il y avait du pet, il peut toujours nous appeler.

(*Un temps. Hugo se lève, pâle d'énervement. Jessica se lève aussi*)

HUGO Ils sont sympathiques, hein?

JESSICA Exquis.

HUGO Et tu as vu comme ils sont bâtis?

JESSICA Des armoires! Ah! vous allez faire un trio d'amis. Mon mari adore les tueurs. Il aurait voulu en être un.

SLICK Il n'est pas taillé pour. Il est fait pour être secrétaire.

HUGO On s'entendra bien, allez! Moi je serai le cerveau, Jessica les yeux, vous les muscles. Tâte les muscles, Jessica! (*Il les tâte*) Du fer. Tâte.

JESSICA Mais monsieur Georges n'en a peut-être pas envie.

GEORGES (*raide*) Ça m'est égal.

HUGO Tu vois; il est enchanté. Allons, tâte, Jessica, tâte. (*Jessica tâte*) Du fer, hein?

JESSICA De l'acier.

HUGO On se tutoie, nous trois, hein?

SLICK Si tu veux, mon petit gars!

JESSICA C'est tellement aimable à vous d'être venus nous voir.

SLICK Tout le plaisir est pour nous, hein, Georges?

GEORGES On est heureux d'avoir vu votre bonheur.

JESSICA Ça vous fera un sujet de conversation dans votre vestibule.

SLICK Bien sûr et puis la nuit on se dira: "Ils sont au chaud, il tient sa petite femme dans ses bras."

GEORGES Ça nous rendra courage.

HUGO (*va à la porte et l'ouvre*) Revenez quand vous voudrez, vous êtes chez vous.

(*Slick s'en va tranquillement à la porte et la referme*)

SLICK On s'en va. On s'en va tout de suite. Le temps d'une petite formalité.

HUGO Quelle formalité?

SLICK Fouiller la chambre.

HUGO Non.

GEORGES Non?

HUGO Vous ne fouillerez rien du tout.

SLICK Te fatigue pas, petite tête, on a des ordres.

HUGO Des ordres de qui?

SLICK De Hoederer.

HUGO Hoederer vous a donné l'ordre de fouiller ma chambre?

GEORGES Voyons, mon petit pote, fais pas l'idiot. Je te dis qu'on nous a prévenus: il va y avoir du baroud un de ces jours. Alors tu penses comme on va te laisser entrer ici sans regarder tes poches. Tu pourrais balader des grenades ou n'importe quelle pétoire quoique j'ai dans l'idée que tu n'es pas doué pour le tir au pigeon.

HUGO Je vous demande si Hoederer vous a nommément chargé de fouiller dans mes affaires.

SLICK (*à Georges*) Nommément.

GEORGES Nommément.

SLICK Personne n'entre ici sans qu'on le fouille. C'est la règle. Voilà tout.

HUGO Et moi vous ne me fouillerez pas. Ce sera l'exception. Voilà tout.

GEORGES Tu n'es pas du Parti?

HUGO Si.

GEORGES Alors qu'est-ce qu'on t'a appris là-bas? Tu ne sais pas ce que c'est qu'une consigne?

HUGO Je le sais aussi bien que vous.

SLICK Et quand on te donne une consigne, tu ne sais pas que tu dois la respecter?

HUGO Je le sais.

SLICK Eh bien?

HUGO Je respecte les consignes mais je me respecte aussi moi-même et je n'obéis pas aux ordres idiots qui sont faits exprès pour me ridiculiser.

SLICK Tu l'entends. Dis, Georges, est-ce que tu te respectes?

GEORGES Je crois pas. Ça se saurait. Et toi Slick?

SLICK T'es pas fou? T'as pas le droit de te respecter si t'es pas au moins secrétaire.

HUGO Pauvres idiots! Si je suis entré au Parti, c'est pour que tous les hommes, secrétaires ou non, en aient un jour le droit.

GEORGES Fais-le taire, Slick, ou je vais pleurer. Nous, mon petit pote, si on y est entré c'est qu'on en avait marre de crever de faim.

SLICK Et pour que tous les gars dans notre genre aient un jour de quoi bouffer.

GEORGES Ah, Slick, assez de salades. Ouvre ça pour commencer.

HUGO Tu n'y toucheras pas.

SLICK Non, mon petit pote? Et comment que tu feras pour m'en empêcher?

HUGO Je n'essayerai pas de lutter contre un rouleau compresseur, mais si seulement tu poses ta patte dessus, nous quittons la villa ce soir et Hoederer pourra se chercher un autre secrétaire.

GEORGES Oh! dis, tu m'intimides! Un secrétaire comme toi, j'en fais un tous les jours.

HUGO Eh bien, fouille, si tu n'as pas peur, fouille donc!

(*Georges se gratte le crâne. Jessica qui est restée très calme pendant toute cette scène vient vers eux*)

JESSICA Pourquoi ne pas téléphoner à Hoederer?

SLICK A Hoederer?

JESSICA Il vous mettra d'accord.

(*Georges et Slick se consultent du regard*)

GEORGES Peut se faire. (*Il va à l'appareil, sonne et décroche*) Allô, Léon? Va dire au Vieux que le petit poteau ne veut pas se laisser faire. Quoi? Oh! des boniments. (*Revenant vers Slick*) Il est parti pour voir le Vieux.

SLICK D'accord. Seulement je vais te dire, Georges. Moi je l'aime bien, Hoederer, mais si ça lui chantait de faire une exception pour ce gosse de riches, alors qu'on a foutu à poil jusqu'au facteur, eh bien, je lui rends mon tablier.

GEORGES Je suis d'accord. Il y passera ou c'est nous qu'on s'en va.

SLICK Parce que ça se peut que je me respecte pas, mais j'ai ma fierté comme les autres.

HUGO Ça se peut bien, mon grand camarade; mais quand ce serait Hoederer lui-même qui donnerait l'ordre de fouille, je quitterais cette maison cinq minutes après.

GEORGES Slick!

SLICK Oui?

GEORGES Tu ne trouves pas que Monsieur a une gueule d'aristocrate?

HUGO Jessica!

JESSICA Oui?

HUGO Tu ne trouves pas que ces Messieurs ont des gueules de cognes?

SLICK (*marche sur lui et lui met la main sur l'épaule*) Fais gaffe, mon petit gars; parce que si c'est qu'on est des cognes, des fois on pourrait se mettre à cogner!

(*Entre Hoederer*)

## *SCÈNE III*

*Les mêmes*, HOEDERER

HOEDERER Pourquoi me dérange-t-on?

(*Slick fait un pas en arrière*)

SLICK Il ne veut pas qu'on le fouille.

HOEDERER Non?

HUGO Si vous leur permettez de me fouiller, je m'en vais. C'est tout.

HOEDERER Bon.

GEORGES Et si tu nous en empêches, c'est nous qu'on s'en va.

HOEDERER Asseyez-vous. (*Ils s'asseyent de mauvaise grâce*) A propos, Hugo, tu peux me tutoyer. Ici, tout le monde se tutoie. (*Il prend un slip et une paire de bas sur le dossier du fauteuil et se dispose à les porter sur le lit*)

JESSICA Vous permettez?
(*Elle les lui prend des mains et les roule en boule, puis sans bouger de place, elle les jette sur le lit*)

HOEDERER Comment t'appelles-tu?

JESSICA Les femmes aussi vous les tutoyez?

HOEDERER Oui.

JESSICA Je m'y ferai. Je m'appelle Jessica.

HOEDERER (*la regardant toujours*) Je croyais que tu serais laide.

JESSICA Je suis désolée.

HOEDERER (*la regardant toujours*) Oui. C'est regrettable.

JESSICA Faut-il que je me rase la tête?

HOEDERER (*sans cesser de la regarder*) Non. (*Il s'éloigne un peu d'elle*) C'est à cause de toi qu'ils voulaient en venir aux mains?

JESSICA Pas encore.

HOEDERER Que ça n'arrive jamais. (*Il s'assied dans le fauteuil*) La fouille, c'est sans importance.

SLICK Nous . . .

HOEDERER Sans aucune importance. Nous en reparlerons. (*A Slick*) Qu'est-ce qu'il y a eu? Qu'est-ce que vous lui reprochez? Il est trop bien habillé? Il parle comme un livre?

SLICK Question de peau.

HOEDERER Pas de ça ici. Les peaux, on les laisse au vestiaire. (*Il les regarde*) Mes enfants, vous êtes mal partis. (*A Hugo*) Toi, tu fais l'insolent parce que tu es le plus faible. (*A Slick et à Georges*) Vous, vous avez vos gueules des mauvais jours. Vous avez commencé par le regarder de travers. Demain vous lui ferez des farces et la semaine prochaine, quand j'aurai besoin de lui dicter une lettre, vous viendrez me dire qu'on l'a repêché dans l'étang.

HUGO Pas si je peux l'empêcher . . .

HOEDERER Tu ne peux rien empêcher. Ne te crispe pas, mon petit. Il ne faut pas que les choses en arrivent là, voilà tout. Quatre hommes qui vivent ensemble, ça s'aime ou ça se massacre. Vous allez me faire le plaisir de vous aimer.

GEORGES (*avec dignité*) Les sentiments ne se commandent pas.

HOEDERER (*avec force*) Ils se commandent. Ils se commandent quand on est en service, entre types du même parti.

GEORGES On n'est pas du même parti.

HOEDERER (*à Hugo*) Tu n'es pas de chez nous?

HUGO Si.

HOEDERER Alors?

SLICK On est peut-être du même parti mais on n'y est pas entré pour les mêmes raisons.

HOEDERER On y entre toujours pour la même raison.

SLICK Tu permets! Lui, c'était pour apprendre aux pauvres gens le respect qu'ils se doivent.

HOEDERER Bah?

GEORGES C'est ce qu'il a dit.

HUGO Et vous, vous n'y êtes entrés que pour bouffer à votre faim. C'est ce que vous avez dit.

HOEDERER Eh bien? Vous êtes d'accord.

SLICK Pardon?

HOEDERER Slick! Tu ne m'as pas raconté que tu avais honte d'avoir faim? (*Il se penche vers Slick et attend une réponse qui ne vient pas*) Et que ça te faisait rager parce que tu ne pouvais penser à rien d'autre? Et qu'un garçon de vingt ans a mieux à faire qu'à s'occuper tout le temps de son estomac?

SLICK Tu n'avais pas besoin de parler de ça devant lui.

HOEDERER Tu ne me l'as pas raconté?

SLICK Qu'est-ce que ça prouve?

HOEDERER Ça prouve que tu voulais ta bouffe et un petit quelque chose en plus. Lui, il appelle ça le respect de soi-même. Il faut le laisser dire. Chacun peut employer les mots qu'il veut.

SLICK Ça n'était pas du respect. Ça me ferait bien mal qu'on appelle ça du respect. Il emploie les mots qu'il trouve dans sa tête; il pense tout avec sa tête.

HUGO Avec quoi veux-tu que je pense?

SLICK Quand on la saute, mon pote, c'est pas avec sa tête qu'on pense. C'est vrai que je voulais que ça cesse, bon Dieu oui. Rien qu'un moment, un petit moment, pour pouvoir m'intéresser à autre chose. A n'importe quoi d'autre que moi. Mais c'était pas du respect de moi-même. Tu n'as jamais eu faim et tu es venu chez nous pour nous faire la morale comme les dames visiteuses qui montaient chez ma mère quand elle était saoule pour lui dire qu'elle ne se respectait pas.

HUGO C'est faux.

GEORGES Tu as eu faim, toi? Je crois que tu avais plutôt besoin de prendre de l'exercice avant les repas pour te mettre en appétit.

HUGO Pour une fois, tu as raison, mon grand camarade: l'appétit je ne sais pas ce que c'est. Si tu avais vu les phosphatines de mon enfance, j'en laissais la moitié: quel gaspillage! Alors on m'ouvrait la bouche, on me disait: une cuillerée pour papa, une cuillerée pour maman, une cuillerée pour la tante Anna. Et on m'enfonçait la cuiller jusqu'au fond de la gorge. Et je grandissais, figure-toi. Mais je ne grossissais pas. C'est le moment où on m'a fait boire du sang frais aux abattoirs, parce que j'étais pâlot: du coup je n'ai plus touché à la viande. Mon père disait chaque soir: "Cet enfant n'a pas faim . . ." Chaque soir, tu vois ça d'ici: "Mange, Hugo, mange. Tu vas te rendre malade." On m'a fait prendre de l'huile de foie de morue: ça c'est le comble du luxe: une drogue pour te *donner faim* pendant que les autres, dans la rue, se seraient vendus pour un bifteck; je les voyais passer de ma fenêtre avec leur pancarte: "Donnez-nous du pain." Et j'allais m'asseoir à table. Mange, Hugo, mange. Une cuillerée pour le gardien qui est en chômage, une cuillerée pour la vieille qui ramasse les épluchures dans la poubelle, une cuillerée pour la famille du charpentier qui s'est cassé la jambe. J'ai quitté la maison. Je suis entré au Parti et c'était pour entendre la même chanson: "Tu n'as jamais eu faim, Hugo, de quoi que tu te mêles? Qu'est-ce que tu peux comprendre? Tu n'as jamais eu faim." Eh bien non, je n'ai jamais eu faim. Jamais! Jamais! Jamais! Tu pourras peut-être me dire, toi, ce qu'il faut que je fasse pour que vous cessiez tous de me le reprocher.

(*Un temps*)

HOEDERER Vous entendez? Eh bien, renseignez-le. Dites-lui donc ce qu'il faut qu'il fasse. Slick! Que lui demandes-tu? Qu'il se coupe une main? Qu'il se crève un œil? Qu'il t'offre sa femme? Quel prix doit-il payer pour que vous lui pardonniez?

SLICK Je n'ai rien à lui pardonner.

HOEDERER Si: d'être entré au Parti sans y être poussé par la misère.

GEORGES On ne lui reproche pas. Seulement il y a un monde entre nous: lui, c'est un amateur, il y est entré parce qu'il trouvait ça bien, pour faire un geste. Nous, on ne pouvait pas faire autrement.

HOEDERER Et lui, tu crois qu'il pouvait faire autrement? La faim des autres, ça n'est pas non plus très facile à supporter.

GEORGES Il y en a beaucoup qui s'en arrangent très bien.

HOEDERER C'est qu'ils n'ont pas d'imagination. Le malheur avec ce petit-là, c'est qu'il en a trop.

SLICK Ça va. On ne lui veut pas de mal. On ne le blaire pas, c'est tout. On a tout de même le droit . . .

HOEDERER Quel droit? Vous n'avez aucun droit. Aucun. "On ne le blaire pas" . . . Espèces de salauds, allez regarder vos gueules dans la glace et puis vous reviendrez me faire de la délicatesse de sentiment si vous en avez le courage. On juge un type à son travail. Et prenez garde que je ne vous juge au vôtre, parce que vous vous relâchez drôlement ces temps-ci.

HUGO (*criant*) Mais ne me défendez pas! Qui vous demande de me défendre? Vous voyez bien qu'il n'y a rien à faire; j'ai l'habitude. Quand je les ai vus entrer, tout à l'heure, j'ai reconnu leur sourire. Ils n'étaient pas beaux. Vous pouvez me croire; ils venaient me faire payer pour mon père et pour mon grand-père et pour tous ceux de ma famille qui ont mangé à leur faim. Je vous dis que je les connais: jamais ils ne m'accepteront; ils sont cent mille qui regardent avec ce sourire. J'ai lutté, je me suis humilié, j'ai tout fait pour qu'ils oublient, je leur ai répété que je les aimais, que je les enviais, que je les admirais. Rien à faire! Rien à faire! Je suis un gosse de riches, un intellectuel, un type qui ne travaille pas de ses mains. Eh bien, qu'ils pensent ce qu'ils veulent. Ils ont raison, c'est une question de peau.

(*Slick et Georges se regardent en silence*)

HOEDERER (*aux gardes du corps*) Eh bien? (*Slick et Georges haussent les épaules en signe d'incertitude*) Je ne le ménagerai pas plus que vous: vous savez que je ne ménage personne. Il ne travaillera pas de ses mains, mais je le ferai trimer dur. (*Agacé*) Ah! Finissons-en.

SLICK (*se décidant*) Bon! (*A Hugo*) Mon petit gars, ce n'est pas que tu me plaises. On aura beau faire, il y a quelque chose entre nous qui ne colle pas. Mais je ne dis pas que tu sois le mauvais cheval et puis c'est vrai qu'on était mal parti. On va tâcher de ne pas se rendre la vie dure. D'accord?

HUGO (*mollement*) Si vous voulez!

SLICK D'accord, Georges?

GEORGES Marchons comme ça.

(*Un temps*)

HOEDERER (*tranquillement*) Reste la question de la fouille.

SLICK Oui. La fouille . . . Oh! à présent . . .

GEORGES Ce qu'on en disait c'était pour dire.

SLICK Histoire de marquer le coup.

HOEDERER (*changeant de ton*) Qui vous demande votre avis? Vous ferez cette fouille si je vous dis de la faire. (*A Hugo, reprenant sa voix ordinaire*) J'ai confiance en toi, mon petit, mais il faut que tu sois réaliste. Si je fais une exception pour toi aujourd'hui, demain ils me demanderont d'en faire deux, et pour finir, un type viendra nous massacrer tous parce qu'ils auront négligé de retourner ses poches. Suppose qu'ils te demandent poliment, à présent que vous êtes amis, tu les laisserais fouiller?

HUGO Je . . . crains que non.

HOEDERER Ah! (*Il le regarde*) Et si c'est moi qui te le demande? (*Un temps*) Je vois: tu as des principes. Je pourrais en faire une question de principes, moi aussi. Mais les principes et moi . . . (*Un temps*) Regarde-moi. Tu n'as pas d'armes?

HUGO Non.

HOEDERER Ta femme non plus?

HUGO Non.

HOEDERER C'est bon. Je te fais confiance. Allez-vous-en, vous deux.

JESSICA Attendez. (*Ils se retournent*) Hugo, ce serait mal de ne pas répondre à la confiance par la confiance.

HUGO Quoi?

JESSICA Vous pouvez fouiller partout.

HUGO Mais, Jessica . . .

JESSICA Eh bien quoi? Tu vas leur faire croire que tu caches un revolver.

HUGO Folle!

JESSICA Alors, laisse-les faire. Ton orgueil est sauf puisque c'est nous qui les en prions.

(*Georges et Slick restent hésitants sur le pas de la porte*)

HOEDERER Hé bien? Qu'est-ce que vous attendez? Vous avez compris?

SLICK On croyait . . .

HOEDERER Il n'y a rien à croire, faites ce qu'on vous dit.

SLICK Bon. Bon. Bon.

GEORGES C'était pas la peine de faire toutes ces histoires.

(*Pendant qu'ils se mettent à fouiller, mollement, Hugo ne cesse de regarder Jessica avec stupeur*)

HOEDERER (*à Slick et à Georges*) Et que ça vous apprenne à faire confiance aux gens. Moi, je fais toujours confiance. A tout le monde. (*Ils fouillent*) Que vous êtes mous! Il faut que la fouille soit sérieuse puisqu'ils vous l'ont proposée sérieusement. Slick, regarde sous l'armoire. Bon. Sors le costume. Palpe-le.

SLICK C'est déjà fait.

HOEDERER Recommence. Regarde aussi sous le matelas. Bien. Slick, continue. Et toi, Georges, viens ici. (*Désignant Hugo*) Fouille-le. Tu n'as qu'à tâter les poches de son veston. Là. Et de son pantalon. Bien. Et la poche-revolver. Parfait.

JESSICA Et moi?

HOEDERER Puisque tu le demandes. Georges. (*Georges ne bouge pas*) Eh bien? Elle te fait peur?

GEORGES Oh! ça va.

(*Il va jusqu'à Jessica, très rouge et l'effleure du bout des doigts. Jessica rit*)

JESSICA Il a des mains de cameriste.

(*Slick est arrivé devant la valise qui contenait le revolver*)

SLICK Les valises sont vides?

HUGO (*tendu*) Oui.

(*Hoederer le regarde avec attention*)

HOEDERER Celle-là aussi?

HUGO Oui.

(*Slick la soulève*)

SLICK Non.

HUGO Ah . . . non, pas celle-là. J'allais la défaire quand vous êtes entrés.

HOEDERER Ouvre.

(*Slick ouvre et fouille*)

SLICK Rien.

HOEDERER Bon. C'est fini. Tirez-vous.

SLICK (*à Hugo*) Sans rancune.

HUGO Sans rancune.

JESSICA (*pendant qu'ils sortent*) J'irai vous faire visite dans votre vestibule.

## *SCÈNE IV*

JESSICA, HOEDERER, HUGO

HOEDERER A ta place, je n'irais pas les voir trop souvent.

JESSICA Oh! pourquoi? Ils sont si mignons; Georges surtout: c'est une jeune fille.

HOEDERER Hum! (*Il va vers elle*) Tu es jolie, c'est un fait. Ça ne sert à rien de le regretter. Seulement, les choses étant ce qu'elles sont, je ne vois que deux solutions. La première, si tu as le cœur assez large, c'est de faire notre bonheur à tous.

JESSICA J'ai le cœur tout petit.

HOEDERER Je m'en doutais. D'ailleurs, ils s'arrangeraient pour se battre tout de même. Reste la seconde solution: quand ton mari s'en va, tu t'enfermes et tu n'ouvres à personne – pas même à moi.

JESSICA Oui. Eh bien, si vous permettez, je choisirai la troisième.

HOEDERER Comme tu voudras. (*Il se penche sur elle et respire profondément*) Tu sens bon. Ne mets pas ce parfum quand tu iras les voir.

JESSICA Je n'ai pas mis de parfum.

HOEDERER Tant pis.

(*Il se détourne et marche lentement jusqu'au milieu de la pièce puis s'arrête. Pendant toute la scène ses regards furetteront partout. Il cherche quelque chose. De temps en temps son regard s'arrête sur Hugo et le scrute*)

Bon. Eh bien, voilà! (*Un silence*) Voilà! (*Un silence*) Hugo, tu viendras chez moi demain matin à dix heures.

HUGO Je sais.

HOEDERER (*distraitement, pendant que ses yeux furettent partout*) Bon. Bon, bon. Voilà. Tout est bien. Tout est bien qui finit bien. Vous faites des drôles de têtes, mes enfants. Tout est bien, voyons! tout le monde est réconcilié, tout le monde s'aime . . . (*Brusquement*) Tu es fatigué, mon petit.

HUGO Ce n'est rien. (*Hoederer le regarde avec attention. Hugo, gêné, parle avec effort*) Pour . . . l'incident de tout à l'heure je . . . je m'excuse.

HOEDERER (*sans cesser de le regarder*) Je n'y pensais même plus.

HUGO A l'avenir, vous . . .

HOEDERER Je t'ai dit de me tutoyer.

HUGO A l'avenir tu n'auras plus sujet de te plaindre. J'observerai la discipline.

HOEDERER Tu m'as déjà raconté ça. Tu es sûr que tu n'es pas malade? (*Hugo ne répond pas*) Si tu étais malade, il serait encore temps de me le dire et je demanderais au Comité d'envoyer quelqu'un pour prendre ta place.

HUGO Je ne suis pas malade.

HOEDERER Parfait. Eh bien, je vais vous laisser. Je suppose que vous avez envie d'être seuls. (*Il va à la table et regarde les livres*) Hegel, Marx, très bien. Lorca, Eliot: connais pas.

(*Il feuillette des livres*)

HUGO Ce sont des poètes.

HOEDERER (*prenant d'autres livres*) Poésie . . . Poésie . . . Beaucoup de poésie. Tu écris des poèmes?

HUGO N-non.

HOEDERER Enfin, tu en as écrit. (*Il s'éloigne de la table, s'arrête devant le lit*) Une robe de chambre, tu te mets bien. Tu l'as emportée quand tu as quitté ton père?

HUGO Oui.

HOEDERER Les deux complets aussi, je suppose.

(*Il lui tend une cigarette*)

HUGO (*refusant*) Merci.

HOEDERER Tu ne fumes pas? (*Geste de négation de Hugo*) Bon. Le Comité me fait dire que tu n'as jamais pris part à une action directe. C'est vrai?

HUGO C'est vrai.

HOEDERER Tu devais te ronger. Tous les intellectuels rêvent de faire de l'action.

HUGO J'étais chargé du journal.

HOEDERER C'est ce qu'on me dit. Il y a deux mois que je ne le reçois plus. Les numéros d'avant, c'est toi qui les faisais?

HUGO Oui.

HOEDERER C'était du travail honnête. Et ils se sont privés d'un si bon rédacteur pour me l'envoyer?

HUGO Ils ont pensé que je ferais ton affaire.

HOEDERER Ils sont bien gentils. Et toi? Ça t'amusait de quitter ton travail?

HUGO Je . . .

HOEDERER Le journal, c'était à toi; il y avait des risques, des responsabilités; en un sens, ça pouvait même passer pour de l'action. (*Il le regarde*) Et te voilà secrétaire. (*Un temps*) Pourquoi l'as-tu quitté? Pourquoi?

HUGO Par discipline.

HOEDERER Ne parle pas tout le temps de discipline. Je me méfie des gens qui n'ont que ce mot à la bouche.

HUGO J'ai besoin de discipline.

HOEDERER Pourquoi?

HUGO (*avec lassitude*) Il y a beaucoup trop de pensées dans ma tête. Il faut que je les chasse.

HOEDERER Quel genre de pensées?

HUGO "Qu'est-ce que je fais ici? Est-ce que j'ai raison de vouloir ce que je veux? Est-ce que je ne suis pas en train de me jouer la comédie?" Des trucs comme ça.

HOEDERER (*lentement*) Oui. Des trucs comme ça. Alors, en ce moment, ta tête en est pleine?

HUGO (*gêné*) Non . . . Non, pas en ce moment. (*Un temps*) Mais ça peut revenir. Il faut que je me défende. Que j'installe d'autres pensées dans ma tête. Des consignes: "Fais ceci. Marche. Arrête-toi. Dis cela." J'ai besoin d'obéir. Obéir et c'est tout. Manger, dormir, obéir.

HOEDERER Ça va. Si tu obéis, on pourra s'entendre. (*Il lui met la main sur l'épaule*) Écoute . . . (*Hugo se dégage et saute en arrière. Hoederer le regarde avec un intérêt accru. Sa voix devient dure et coupante*) Ah? (*Un temps*) Ha! Ha!

HUGO Je . . . je n'aime pas qu'on me touche.

HOEDERER (*d'une voix dure et rapide*) Quand ils ont fouillé dans cette valise, tu as eu peur: pourquoi?

HUGO Je n'ai pas eu peur.

HOEDERER Si. Tu as eu peur. Qu'est-ce qu'il y a dedans?

HUGO Ils ont fouillé et il n'y avait rien.

HOEDERER Rien? C'est ce qu'on va voir. (*Il va à la valise et l'ouvre*) Ils cherchaient une arme. On peut cacher des armes dans une valise mais on peut aussi y cacher des papiers.

HUGO Ou des affaires strictement personnelles.

HOEDERER A partir du moment où tu es sous mes ordres, mets-toi bien dans la tête que tu n'as plus rien à toi. (*Il fouille*) Des chemises, des caleçons, tout est neuf. Tu as donc de l'argent?

HUGO Ma femme en a.

HOEDERER Qu'est-ce que c'est que ces photos? (*Il les prend et les regarde. Un silence*) C'est ça! C'est donc ça! (*Il regarde une photo*) Un costume de velours . . . (*Il en regarde une autre*) Un grand col marin avec un béret. Quel petit Monsieur!

HUGO Rendez-moi ces photos.

HOEDERER Chut! (*Il le repousse*) Les voilà donc, ces affaires strictement personnelles. Tu avais peur qu'ils ne les trouvent.

HUGO S'ils avaient mis dessus leurs sales pattes, s'ils avaient ricané en les regardant, je . . .

HOEDERER Eh bien, le mystère est éclairci: Voilà ce que c'est que de porter le crime sur sa figure: j'aurais juré que tu cachais au moins une grenade. (*Il regarde les photos*) Tu n'as pas changé. Ces petites jambes maigres . . . Évidemment tu n'avais jamais d'appétit. Tu étais si petit qu'on t'a mis debout sur une chaise, tu t'es croisé les bras et tu toises ton monde comme un Napoléon. Tu n'avais pas l'air gai. Non . . . ça ne doit pas être drôle tous les jours d'être un gosse de riches. C'est un mauvais début dans la vie. Pourquoi trimbales-tu ton passé dans cette valise puisque tu veux l'enterrer? (*Geste vague de Hugo*) De toute façon, tu t'occupes beaucoup de toi.

HUGO Je suis dans le Parti pour m'oublier.

HOEDERER Et tu te rappelles à chaque minute qu'il faut que tu t'oublies. Enfin! Chacun se débrouille comme il peut. (*Il lui rend les photos*) Cache-les bien. (*Hugo les prend et les met dans la poche intérieure de son veston*) A demain, Hugo.

HUGO A demain.

HOEDERER Bonsoir, Jessica.

JESSICA Bonsoir.

(*Sur le pas de la porte, Hoederer se retourne*)

HOEDERER Fermez les volets et tirez les verrous. On ne sait jamais qui rôde dans le jardin. C'est un ordre.

(*Il sort*)

## *SCÈNE V*

HUGO, JESSICA

*Hugo va à la porte et donne deux tours de clé.*

JESSICA C'est vrai qu'il est vulgaire. Mais il ne porte pas de cravate à pois.

HUGO Où est le revolver?

ESSICA Comme je me suis amusée, ma petite abeille. C'est la première fois que je te vois aux prises avec de vrais hommes.

HUGO Jessica, où est ce revolver?

JESSICA Hugo, tu ne connais pas les règles de ce jeu-là: et la fenêtre? On peut nous regarder du dehors.

(*Hugo va fermer les volets et revient vers elle*)

HUGO Alors?

JESSICA (*tirant le revolver de son corsage*) Pour la fouille, Hoederer ferait mieux d'engager aussi une femme. Je vais me proposer.

HUGO Quand l'as-tu pris?

JESSICA Quand tu es allé ouvrir aux deux chiens de garde.

HUGO Tu t'es bien moquée de nous. J'ai cru qu'il t'avait attrapée à son piège.

JESSICA Moi? J'ai manqué lui rire au nez: "Je vous fais confiance! Je fais confiance à tout le monde. Que ça vous apprenne à faire confiance . . ." Qu'est-ce qu'il s'imagine? Le coup de la confiance, c'est avec les hommes que ça prend.

HUGO Et encore!

JESSICA Veux-tu te taire, ma petite abeille. Toi, tu as été ému.

HUGO Moi? Quand?

JESSICA Quand il t'a dit qu'il te faisait confiance.

HUGO Non, je n'ai pas été ému.

JESSICA Si.

HUGO Non.

JESSICA En tout cas, si tu me laisses jamais avec un beau garçon ne me dis pas que tu me fais confiance, parce que je te préviens: ce n'est pas ça qui m'empêchera de te tromper, si j'en ai envie. Au contraire.

HUGO Je suis bien tranquille, je partirais les yeux fermés.

JESSICA Tu crois qu'on me prend par les sentiments?

HUGO Non, ma petite statue de neige; je crois à la froideur de la neige. Le plus brûlant séducteur s'y gèlerait les doigts. Il te caresserait pour te réchauffer un peu et tu lui fondrais entre les mains.

JESSICA Idiot! Je ne joue plus. (*Un très bref silence*) Tu as eu bien peur?

HUGO Tout à l'heure? Non. Je n'y croyais pas. Je les regardais fouiller et je me disais: "Nous jouons la comédie." Rien ne me semble jamais tout à fait vrai.

JESSICA Même pas moi?

HUGO Toi? (*Il la regarde un moment puis détourne la tête*) Dis, tu as eu peur, toi aussi?

JESSICA Quand j'ai compris qu'ils allaient me fouiller. C'était pile ou face. Georges, j'étais sûr qu'il me toucherait à peine, mais Slick m'aurait empoignée. Je n'avais pas peur qu'il trouve le revolver: j'avais peur de ses mains.

HUGO Je n'aurais pas dû t'entraîner dans cette histoire.

JESSICA Au contraire, j'ai toujours rêvé d'être une aventurière.

HUGO Jessica, ce n'est pas un jeu. Ce type est dangereux.

JESSICA Dangereux? Pour qui?

HUGO Pour le Parti.

JESSICA Pour le Parti? Je croyais qu'il en était le chef.

HUGO Il en est *un* des chefs. Mais justement: il . . .

JESSICA Surtout, ne m'explique pas. Je te crois sur parole.

HUGO Qu'est-ce que tu crois?

JESSICA (*récitant*) Je crois que cet homme est dangereux, qu'il faut qu'il disparaisse et que tu viens pour l'abat . . .

HUGO Chut! (*Un temps*) Regarde-moi. Des fois je me dis que tu joues à me croire et que tu ne me crois pas vraiment, et d'autres fois que tu me crois au fond mais que tu fais semblant de ne pas me croire. Qu'est-ce qui est vrai?

JESSICA (*riant*) Rien n'est vrai.

HUGO Qu'est-ce que tu ferais si j'avais besoin de ton aide?

JESSICA Est-ce que je ne viens pas de t'aider?

HUGO Si, mon âme, mais ce n'est pas cette aide-là que je veux.

JESSICA Ingrat.

HUGO (*la regardant*) Si je pouvais lire dans ta tête . . .

JESSICA Demande-moi.

HUGO (*haussant les épaules*) Bah! (*Un temps*) Bon Dieu, quand on va tuer un homme, on devrait se sentir lourd comme une pierre. Il devrait y avoir du silence dans ma tête. (*Criant*) Du silence! (*Un temps*) As-tu vu comme il est dense? Comme il est vivant? (*Un temps*) C'est vrai! C'est vrai! C'est vrai que je vais le tuer: dans une semaine il sera couché par terre et mort avec cinq trous dans la peau. (*Un temps*) Quelle comédie!

JESSICA (*se met à rire*) Ma pauvre petite abeille, si tu veux me convaincre que tu vas devenir un assassin, il faudrait commencer par t'en convaincre toi-même.

HUGO Je n'ai pas l'air convaincu, hein?

JESSICA Pas du tout: tu joues mal ton rôle.

HUGO Mais je ne joue pas, Jessica.

JESSICA Si, tu joues.

HUGO Non, c'est toi. C'est toujours toi.

JESSICA Non, c'est toi. D'ailleurs comment pourrais-tu le tuer, c'est moi qui ai le revolver.

HUGO Rends-moi ce revolver.

JESSICA Jamais de la vie: je l'ai gagné. Sans moi tu te le serais fait prendre.

HUGO Rends-moi ce revolver.

JESSICA Non, je ne te le rendrai pas, j'irai trouver Hoederer et je lui dirai: je viens faire votre bonheur et, pendant qu'il m'embrassera . . . (*Hugo qui fait semblant de se résigner, se jette sur elle, même jeu qu'à la première scène, ils tombent sur le lit, luttent, crient et rient. Hugo finit par lui arracher le revolver pendant que le rideau tombe et qu'elle crie*) Attention! Attention! Le revolver va partir!

*Rideau*

# Quatrième Tableau

## LE BUREAU DE HOEDERER

*Pièce austère mais confortable. A droite, un bureau; au milieu, une table chargée de livres et de feuillets avec un tapis qui tombe jusqu'au plancher. A gauche, sur le côté, une fenêtre au travers de laquelle on voit les arbres du jardin. Au fond, à droite, une porte; à gauche de la porte, une table de cuisine qui supporte un fourneau à gaz. Sur le fourneau, une cafetière. Chaises disparates. C'est l'après-midi.*
*Hugo est seul. Il s'approche du bureau, prend le porte-plume de Hoederer et le touche. Puis il remonte jusqu'au fourneau, prend la cafetière et la regarde en sifflotant. Jessica entre doucement.*

### *SCÈNE PREMIÈRE*

JESSICA, HUGO

JESSICA Qu'est-ce que tu fais avec cette cafetière?
(*Hugo repose précipitamment la cafetière*)

HUGO Jessica, on t'a défendu d'entrer dans ce bureau.

JESSICA Qu'est-ce que tu faisais avec cette cafetière?

HUGO Et toi, qu'est-ce que tu viens faire ici?

JESSICA Te voir, mon âme.

HUGO Eh bien, tu m'as vu. File! Hoederer va descendre.

JESSICA Comme je m'ennuyais de toi, ma petite abeille!

HUGO Je n'ai pas le temps de jouer, Jessica.

JESSICA (*regardant autour d'elle*) Naturellement tu n'avais rien su me décrire. Ça sent le tabac refroidi comme dans le bureau de mon père quand j'étais petite. C'est pourtant facile de parler d'une odeur.

HUGO Écoute-moi bien . . .

JESSICA Attends! (*Elle fouille dans la poche de son tailleur*) J'étais venue pour t'apporter ça.

HUGO Quoi, ça?

JESSICA (*sortant le revolver de sa poche et le tendant à Hugo sur la paume de sa main*) Ça! Tu l'avais oublié.

HUGO Je ne l'ai pas oublié: je ne l'emporte jamais.

JESSICA Justement: tu ne devrais pas t'en séparer.

HUGO Jessica, puisque tu n'as pas l'air de comprendre, je te dis tout net que je te défends de remettre les pieds ici. Si tu veux jouer, tu as le jardin et le pavillon.

JESSICA Hugo, tu me parles comme si j'avais six ans.

HUGO A qui la faute? C'est devenu insupportable; tu ne peux plus me regarder sans rire. Ce sera joli quand nous aurons cinquante ans. Il faut en sortir; ce n'est qu'une habitude, tu sais; une sale habitude que nous avons prise ensemble. Est-ce que tu me comprends?

JESSICA Très bien.

HUGO Tu veux bien faire un effort?

JESSICA Oui.

HUGO Bon. Eh bien, commence par rentrer ce revolver.

JESSICA Je ne peux pas.

HUGO Jessica!

JESSICA Il est à toi, c'est à toi de le prendre.

HUGO Mais puisque je te dis que je n'en ai que faire!

JESSICA Et moi, qu'est-ce que tu veux que j'en fasse?

HUGO Ce que tu voudras, ça ne me regarde pas.

JESSICA Tu ne prétends pas obliger ta femme à promener toute la journée une arme à feu dans sa poche?

HUGO Rentre chez nous et va la déposer dans ma valise.

JESSICA Mais je n'ai pas envie de rentrer; tu es monstrueux!

HUGO Tu n'avais qu'à ne pas l'apporter.

JESSICA Et toi, tu n'avais qu'à ne pas l'oublier.

HUGO Je te dis que je ne l'ai pas oublié.

JESSICA Non? Alors, Hugo, c'est que tu as changé tes projets.

HUGO Chut!

JESSICA Hugo, regarde-moi dans les yeux. Oui ou non, as-tu changé tes projets?

HUGO Non, je ne les ai pas changés.

JESSICA Oui ou non, as-tu l'intention de . . .

HUGO Oui! Oui! Oui! Mais pas aujourd'hui.

JESSICA Oh! Hugo, mon petit Hugo, pourquoi pas aujourd'hui? Je m'ennuie tant, j'ai fini tous les romans que tu m'as donnés et je n'ai pas de goût pour rester toute la journée sur mon lit comme une odalisque, ça me fait engraisser. Qu'attends-tu?

HUGO Jessica, tu joues encore.

JESSICA C'est toi qui joues. Voilà dix jours que tu prends de grands airs pour m'impressionner et finalement l'autre vit toujours. Si c'est un jeu, il dure trop longtemps: nous ne parlons plus qu'à voix basse, de peur qu'on ne nous entende, et il faut que je te passe toutes tes humeurs, comme si tu étais une femme enceinte.

HUGO Tu sais bien que ce n'est pas un jeu.

JESSICA (*sèchement*) Alors c'est pis: j'ai horreur que les gens ne fassent pas ce qu'ils ont décidé de faire. Si tu veux que je te croie, il faut en finir aujourd'hui même.

HUGO Aujourd'hui, c'est inopportun.

JESSICA (*reprenant sa voix ordinaire*) Tu vois!

HUGO Ah! tu m'assommes. Il attend des visites, là!

JESSICA Combien?

HUGO Deux.

JESSICA Tue-les aussi.

HUGO Il n'y a rien de plus déplacé qu'une personne qui s'obstine à jouer quand les autres n'en ont pas envie. Je ne te demande pas de m'aider, oh non! Je voudrais simplement que tu ne me gênes pas.

JESSICA Bon! Bon! Fais ce que tu voudras puisque tu me tiens en dehors de ta vie. Mais prends ce revolver parce que, si je le garde, il déformera mes poches.

HUGO Si je le prends, tu t'en iras?

JESSICA Commence par le prendre.

(*Hugo prend le revolver et le met en poche*)

HUGO A présent, file.

JESSICA Une minute! J'ai tout de même le droit de jeter un coup d'œil dans le bureau où mon mari travaille. (*Elle passe derrière le bureau de Hoederer. Désignant le bureau*) Qui s'assied là? Lui ou toi?

HUGO (*de mauvaise grâce*) Lui. (*Désignant la table*) Moi, je travaille à cette table.

JESSICA (*sans l'écouter*) C'est son écriture?

(*Elle a pris une feuille sur le bureau*)

HUGO Oui.

JESSICA (*vivement intéressée*) Ha! Ha! ha!

HUGO Pose ça.

JESSICA Tu as vu comme elle monte? et qu'il trace les lettres sans les relier?

HUGO Après?

JESSICA Comment, après? C'est très important.

HUGO Pour qui?

JESSICA Tiens! Pour connaître son caractère. Autant savoir qui on tue. Et l'espace qu'il laisse entre les mots! On dirait que chaque lettre est une petite île; les mots ce seraient des archipels. Ça veut sûrement dire quelque chose.

HUGO Quoi?

JESSICA Je ne sais pas. Que c'est agaçant: ses souvenirs d'enfance, les femmes qu'il a eues, sa façon d'être amoureux, tout est là et je ne sais pas lire . . . Hugo, tu devrais m'acheter un livre de graphologie, je sens que je suis douée.

HUGO Je t'en achèterai un si tu t'en vas tout de suite.

JESSICA On dirait un tabouret de piano.

HUGO C'en est un.

JESSICA (*s'asseyant sur le tabouret et le faisant tourner*) Comme c'est agréable! Alors, il s'assied, il fume, il parle et tourne sur son tabouret.

HUGO Oui.

(*Jessica débouche un carafon sur le bureau et le flaire*)

JESSICA Il boit?

HUGO Comme un trou.

JESSICA En travaillant?

HUGO Oui.

JESSICA Et il n'est jamais saoul?

HUGO Jamais.

JESSICA J'espère que tu ne bois pas d'alcool, même s'il t'en offre: tu ne le supportes pas.

HUGO Ne fais pas la grande sœur; je sais très bien que je ne supporte pas l'alcool, ni le tabac, ni le chaud, ni le froid, ni l'humidité, ni l'odeur des foins, ni rien du tout.

JESSICA (*lentement*) Il est là, il parle, il fume, il boit, il tourne sur son guéridon . . .

HUGO Oui et moi je . . .

JESSICA (*avisant le fourneau*) Qu'est-ce que c'est? Il fait sa cuisine lui-même?

HUGO Oui.

JESSICA (*éclatant de rire*) Mais pourquoi? Je pourrais la lui faire, moi, puisque je fais la tienne; il pourrait venir manger avec nous.

HUGO Tu ne la ferais pas aussi bien que lui; et puis je crois que ça l'amuse. Le matin il nous fait du café. Du très bon café de marché noir . . .

JESSICA (*désignant la cafetière*) Là-dedans?

HUGO Oui.

JESSICA C'est la cafetière que tu avais dans les mains quand je suis entrée?

HUGO Oui.

JESSICA Pourquoi l'avais-tu prise? Qu'est-ce que tu y cherchais?

HUGO Je ne sais pas. (*Un temps*) Elle a l'air vraie quand il la touche. (*Il la prend*) Tout ce qu'il touche a l'air vrai. Il verse le café dans les tasses, je bois, je le regarde boire et je sens que le vrai goût du café est dans sa bouche à lui. (*Un temps*) C'est le vrai goût du café qui va disparaître, la vraie chaleur, la vraie lumière. Il ne restera que ça.

(*Il montre sa cafetière*)

JESSICA Quoi, ça?

HUGO (*montrant d'un geste plus large la pièce entière*) Ça: des mensonges. (*Il repose la cafetière*) Je vis dans un décor.

(*Il s'absorbe dans ses réflexions*)

JESSICA Hugo!

HUGO (*sursautant*) Eh?

JESSICA L'odeur du tabac s'en ira quand il sera mort. (*Brusquement*) Ne le tue pas.

HUGO Tu crois donc que je vais le tuer? Réponds? Tu le crois?

JESSICA Je ne sais pas. Tout a l'air si tranquille. Et puis ça sent mon enfance . . . Il n'arrivera rien! Il ne peut rien arriver, tu te moques de moi.

HUGO Le voilà. File par la fenêtre.

(*Il cherche à l'entraîner*)

JESSICA (*résistant*) Je voudrais voir comment vous êtes quand vous êtes seuls.

HUGO (*l'entraînant*) Viens vite.

JESSICA (*très vite*) Chez mon père, je me mettais sous la table et je le regardais travailler pendant des heures.

(*Hugo ouvre la fenêtre de la main gauche, Jessica lui échappe et se glisse sous la table. Hoederer entre*)

## *SCÈNE II*

*Les mêmes,* HOEDERER

HOEDERER Qu'est-ce que tu fais là-dessous?

JESSICA Je me cache.

HOEDERER Pourquoi faire?

JESSICA Pour voir comment vous êtes quand je ne suis pas là.

HOEDERER C'est manqué. (*A Hugo*) Qui l'a laissée entrer?

HUGO Je ne sais pas.

HOEDERER C'est ta femme: tiens-la mieux que ça.

JESSICA Ma pauvre petite abeille, il te prend pour mon mari.

HOEDERER Ce n'est pas ton mari?

JESSICA C'est mon petit frère.

HOEDERER (*à Hugo*) Elle ne te respecte pas.

HUGO Non.

HOEDERER Pourquoi l'as-tu épousée?

HUGO Parce qu'elle ne me respectait pas.

HOEDERER Quand on est du Parti, on se marie avec quelqu'un du Parti.

JESSICA Pourquoi?

HOEDERER C'est plus simple.

JESSICA Comment savez-vous que je ne suis pas du Parti?

HOEDERER Ça se voit. (*Il la regarde*) Tu ne sais rien faire, sauf l'amour . . .

JESSICA Même pas l'amour. (*Un temps*) Est-ce que vous pensez que je dois m'inscrire au Parti?

HOEDERER Tu peux faire ce que tu veux: le cas est désespéré.

JESSICA Est-ce que c'est ma faute?

HOEDERER Que veux-tu que j'en sache? Je suppose que tu es à moitié victime, à moitié complice, comme tout le monde.

JESSICA (*avec une brusque violence*) Je ne suis complice de personne. On a décidé de moi sans me demander mon avis.

HOEDERER C'est bien possible. De toute façon la question de l'émancipation des femmes ne me passionne pas.

JESSICA (*désignant Hugo*) Vous croyez que je lui fais du mal?

HOEDERER C'est pour me demander ça que tu es venue ici?

JESSICA Pourquoi pas?

HOEDERER Je suppose que tu es son luxe. Les fils de bourgeois qui viennent à nous ont la rage d'emporter avec eux un peu de leur luxe passé, comme souvenir. Les uns, c'est leur liberté de penser, les autres, une épingle de cravate. Lui, c'est sa femme.

JESSICA Oui. Et vous, naturellement vous n'avez pas besoin de luxe.

HOEDERER Naturellement non. (*Ils se regardent*) Allez, ouste, disparais, et ne remets plus les pieds ici.

JESSICA Ça va. Je vous laisse à votre amitié d'hommes.
(*Elle sort avec dignité*)

## *SCÈNE III*

HUGO, HOEDERER

HOEDERER Tu tiens à elle?

HUGO Naturellement.

HOEDERER Alors, défends-lui de remettre les pieds ici. Quand j'ai à choisir entre un type et une bonne femme, c'est le type que je choisis; mais il ne faut tout de même pas me rendre la tâche trop difficile.

HUGO Qui vous demande de choisir?

HOEDERER Aucune importance: de toute façon c'est toi que j'ai choisi.

HUGO (*riant*) Vous ne connaissez pas Jessica.

HOEDERER Ça se peut bien. Tant mieux, alors. (*Un temps*) Dis-lui tout de même de ne pas revenir. (*Brusquement*) Quelle heure est-il?

HUGO Quatre heures dix.

HOEDERER Ils sont en retard.

(*Il va à la fenêtre, jette un coup d'œil au dehors puis revient*)

HUGO Vous n'avez rien à me dicter?

HOEDERER Pas aujourd'hui. (*Sur un mouvement de Hugo*) Non Reste. Quatre heures dix?

HUGO Oui.

HOEDERER S'ils ne viennent pas, ils le regretteront.

HUGO Qui vient?

HOEDERER Tu verras. Des gens de ton monde. (*Il fait quelques pas*) Je n'aime pas attendre. (*Revenant vers Hugo*) S'ils viennent, l'affaire est dans le sac; mais, s'ils ont eu peur au dernier moment, tout est à recommencer. Et je crois que je n'en aurai pas le temps. Quel âge as-tu?

HUGO Vingt et un ans.

HOEDERER Tu as du temps, toi.

HUGO Vous n'êtes pas si vieux non plus.

HOEDERER Je ne suis pas vieux mais je suis visé. (*Il lui montre le jardin*) De l'autre côté de ces murs, il y a des types qui pensent nuit et jour à me descendre; et comme, moi, je ne pense pas tout le temps à me garder, ils finiront sûrement par m'avoir.

HUGO Comment savez-vous qu'ils y pensent nuit et jour?

HOEDERER Parce que je les connais. Ils ont de la suite dans les idées.

HUGO Vous les connaissez?

HOEDERER Oui. Tu as entendu un bruit de moteur?

HUGO Non. (*Ils écoutent*) Non.

HOEDERER Ce serait le moment pour un de ces types de sauter par-dessus le mur. Il aurait l'occasion de faire du beau travail.

HUGO (*lentement*) Ce serait le moment . . .

HOEDERER (*le regardant*) Tu comprends, il vaudrait mieux pour eux que je ne puisse pas recevoir ces visites. (*Il va au bureau et se verse à boire*) Tu en veux?

HUGO Non. (*Un temps*) Vous avez peur?

HOEDERER De quoi?

HUGO De mourir.

HOEDERER Non, mais je suis pressé. Je suis tout le temps pressé. Autrefois ça m'était égal d'attendre. A présent je ne peux plus.

HUGO Comme vous devez les haïr.

HOEDERER Pourquoi? Je n'ai pas d'objection de principe contre l'assassinat politique. Ça se pratique dans tous les partis.

HUGO Donnez-moi de l'alcool.

HOEDERER (*étonné*) Tiens! (*Il prend le carafon et lui verse à boire. Hugo boit sans cesser de le regarder*) Eh bien quoi? Tu ne m'as jamais vu?

HUGO Non. Je ne vous ai jamais vu.

HOEDERER Pour toi je ne suis qu'une étape, hein? C'est naturel. Tu me regardes du haut de ton avenir. Tu te dis: "Je passerai deux ou trois ans chez ce bonhomme et, quand il sera crevé, j'irai ailleurs et je ferai autre chose . . ."

HUGO Je ne sais pas si je ferai jamais autre chose.

HOEDERER Dans vingt ans tu diras à tes copains: "C'était le temps où j'étais secrétaire chez Hoederer." Dans vingt ans. C'est marrant!

HUGO Dans vingt ans . . .

HOEDERER Eh bien?

HUGO C'est loin.

HOEDERER Pourquoi? Tu es tubard?

HUGO Non. Donnez-moi encore un peu d'alcool. (*Hoederer lui verse à boire*) Je n'ai jamais eu l'impression que je ferai de vieux os. Moi aussi, je suis pressé.

HOEDERER Ce n'est pas la même chose.

HUGO Non. (*Un temps*) Des fois, je donnerais ma main à couper pour devenir tout de suite un homme et d'autres fois il me semble que je ne voudrais pas survivre à ma jeunesse.

HOEDERER Je ne sais pas ce que c'est.

HUGO Comment?

HOEDERER La jeunesse, je ne sais pas ce que c'est: je suis passé directement de l'enfance à l'âge d'homme.

HUGO Oui. C'est une maladie bourgeoise. (*Il rit*) Il y en a beaucoup qui en meurent.

HOEDERER Veux-tu que je t'aide?

HUGO Hein?

HOEDERER Tu as l'air si mal parti. Veux-tu que je t'aide?

HUGO (*dans un sursaut*) Pas vous! (*Il se reprend très vite*) Personne ne peut m'aider.

HOEDERER (*allant à lui*) Écoute, mon petit. (*Il s'arrête et écoute*) Les voilà. (*Il va à la fenêtre. Hugo l'y suit*) Le grand, c'est Karsky, le secrétaire du Pentagone. Le gros, c'est le prince Paul.

HUGO Le fils du Régent?

HOEDERER Oui. (*Il a changé de visage, il a l'air indifférent, dur et sûr de lui*) Tu as assez bu. Donne-moi ton verre. (*Il le vide dans le jardin*) Va t'asseoir; écoute tout ce qu'on te dira et si je te fais signe, tu prendras des notes.

(*Il referme la fenêtre et va s'asseoir à son bureau*)

## *SCÈNE IV*

*Les mêmes*, KARSKY, LE PRINCE PAUL, SLICK, GEORGES

*Les deux visiteurs entrent, suivis par Slick et Georges qui leur poussent leurs mitraillettes dans les reins.*

KARSKY Je suis Karsky.

HOEDERER (*sans se lever*) Je vous reconnais.

KARSKY Vous savez qui est avec moi?

HOEDERER Oui.

KARSKY Alors renvoyez vos molosses.

HOEDERER Ça va comme ça, les gars. Tirez-vous.

(*Slick et Georges sortent*)

KARSKY (*ironiquement*) Vous êtes bien gardé.

HOEDERER Si je n'avais pas pris quelques précautions ces derniers temps, je n'aurais pas le plaisir de vous recevoir.

KARSKY (*se retournant vers Hugo*) Et celui-ci.

HOEDERER C'est mon secrétaire. Il reste avec nous.

KARSKY (*s'approchant*) Vous êtes Hugo Barine? (*Hugo ne répond pas*) Vous marchez avec ces gens?

HUGO Oui.

KARSKY J'ai rencontré votre père la semaine dernière. Est-ce que ça vous intéresse encore d'avoir de ses nouvelles?

HUGO Non.

KARSKY Il est fort probable que vous porterez la responsabilité de sa mort.

HUGO Il est à peu près certain qu'il porte la responsabilité de ma vie. Nous sommes quittes.

KARSKY (*sans élever la voix*) Vous êtes un petit malheureux.

HUGO Dites-moi . . .

HOEDERER Silence, toi. (*A Karsky*) Vous n'êtes pas venu ici pour insulter mon secrétaire, n'est-ce pas? Asseyez-vous, je vous prie. (*Ils s'asseyent*) Cognac?

KARSKY Merci.

LE PRINCE Je veux bien.

(*Hoederer le sert*)

KARSKY Voilà donc le fameux Hoederer. (*Il le regarde*) Avant-hier vos hommes ont encore tiré sur les nôtres.

HOEDERER Pourquoi?

KARSKY Nous avions un dépôt d'armes dans un garage et vos types voulaient le prendre: c'est aussi simple que ça.

HOEDERER Ils ont eu les armes?

KARSKY Oui.

HOEDERER Bien joué.

KARSKY Il n'y a pas de quoi être fier: ils sont venus à dix contre un.

HOEDERER Quand on veut gagner, il vaut mieux se mettre à dix contre un, c'est plus sûr.

KARSKY Ne poursuivons pas cette discussion, je crois que nous ne nous entendrons jamais: nous ne sommes pas de la même race.

HOEDERER Nous sommes de la même race, mais nous ne sommes pas de la même classe.

LE PRINCE Messieurs, si nous venions à nos affaires.

HOEDERER D'accord. Je vous écoute.

KARSKY C'est nous qui vous écoutons.

HOEDERER Il doit y avoir malentendu.

KARSKY C'est probable. Si je n'avais pas cru que vous aviez une proposition précise à nous faire, je ne me serais pas dérangé pour vous voir.

HOEDERER Je n'ai rien à proposer.

KARSKY Parfait.

(*Il se lève*)

LE PRINCE Messieurs, je vous en prie. Rasseyez-vous, Karsky. C'est un mauvais début. Est-ce que nous ne pourrions pas mettre un peu de rondeur dans cet entretien?

KARSKY (*au Prince*) De la rondeur? Avez-vous vu ses yeux quand ses deux chiens de garde nous poussaient devant eux avec leurs mitraillettes? Ces gens-là nous détestent. C'est sur votre insistance que j'ai consenti à cette entrevue, mais je suis convaincu qu'il n'en sortira rien de bon.

LE PRINCE Karsky, vous avez organisé l'an dernier deux attentats contre mon père et pourtant j'ai accepté de vous rencontrer. Nous n'avons peut-être pas beaucoup de raisons de nous aimer mais nos sentiments ne comptent plus quand il s'agit de l'intérêt national. (*Un temps*) Cet intérêt, bien sûr, il est arrivé que nous ne l'entendions pas toujours de la même façon. Vous, Hoederer, vous vous êtes fait l'interprète peut-être un peu trop exclusif des revendications légitimes de la classe travailleuse. Mon père et moi, qui avons toujours été favorables à ces revendications, nous avons été obligés, devant l'attitude inquiétante de l'Allemagne, de les faire passer au second plan, parce que nous avons compris que notre premier devoir était de sauvegarder l'indépendance du territoire, fût-ce au prix de mesures impopulaires.

HOEDERER C'est-à-dire en déclarant la guerre à l'U.R.S.S.

LE PRINCE (*enchaînant*) De leur côté, Karsky et ses amis, qui ne partageaient pas notre point de vue sur la politique extérieure, ont peut-être sous-estimé la nécessité qu'il y avait pour l'Illyrie à se présenter unie et forte aux yeux de l'étranger, comme un seul peuple derrière un seul chef; et ils ont formé un parti clandestin de résistance. Voilà comment il arrive que des hommes également honnêtes, également dévoués à leur patrie se trouvent séparés momentanément par les différentes conceptions qu'ils ont de leur devoir. (*Hoederer rit grossièrement*) Plaît-il?

HOEDERER Rien. Continuez.

LE PRINCE Aujourd'hui, les positions se sont heureusement rapprochées et il semble que chacun de nous ait une compréhension plus large du point de vue des autres. Mon père n'est pas désireux de poursuivre cette guerre inutile et coûteuse. Naturellement nous ne sommes pas en mesure de conclure une paix séparée, mais je puis vous garantir que les opérations militaires seront conduites sans excès de zèle. De son côté, Karsky estime que les divisions intestines ne peuvent que desservir la cause de notre pays et nous souhaitons les uns et les autres préparer la paix de demain en réalisant aujourd'hui l'union nationale. Bien entendu cette union ne saurait se faire ouvertement sans éveiller les soupçons de l'Allemagne, mais elle trouvera son cadre dans les organisations clandestines qui existent déjà.

HOEDERER Et alors?

LE PRINCE Eh bien, c'est tout. Karsky et moi voulions vous annoncer l'heureuse nouvelle de notre accord de principe.

HOEDERER En quoi cela me regarde-t-il?

KARSKY En voilà assez: nous perdons notre temps.

LE PRINCE (*enchaînant*) Il va de soi que cette union doit être aussi large que possible. Si le Parti Prolétarien témoigne le désir de se joindre à nous . . .

HOEDERER Qu'est-ce que vous offrez?

KARSKY Deux voix pour votre Parti dans le Comité National Clandestin que nous allons constituer.

HOEDERER Deux voix sur combien?

KARSKY Sur douze.

HOEDERER (*feignant un étonnement poli*) Deux voix sur douze?

KARSKY Le Régent déléguera quatre de ses conseillers et les six autres voix seront au Pentagone. Le président sera élu.

HOEDERER (*ricanant*) Deux voix sur douze.

KARSKY Le Pentagone embrasse la majeure partie du paysannat, soit cinquante-sept pour cent de la population, plus la quasi-totalité de la classe bourgeoise, le prolétariat ouvrier représente à peine vingt pour cent du pays et vous ne l'avez pas tout entier derrière vous.

HOEDERER Bon. Après?

KARSKY Nous opérerons un remaniement et une fusion par la base de nos deux organisations clandestines. Vos hommes entreront dans notre dispositif pentagonal.

HOEDERER Vous voulez dire que nos troupes seront absorbées par le Pentagone.

KARSKY C'est la meilleure formule de réconciliation.

HOEDERER En effet: la réconciliation par anéantissement d'un des adversaires. Après cela, il est parfaitement logique de ne nous donner que deux voix au Comité Central. C'est même encore trop: ces deux voix ne représentent plus rien.

KARSKY Vous n'êtes pas obligé d'accepter.

LE PRINCE (*précipitamment*) Mais si vous acceptiez, naturellement, le gouvernement serait disposé à abroger les lois de 39 sur la presse, l'unité syndicale et la carte de travailleur.

HOEDERER Comme c'est tentant! (*Il frappe sur la table*) Bon. Eh bien, nous avons fait connaissance; à présent mettons-nous au travail. Voici mes conditions: un comité directeur réduit à six membres. Le Parti Prolétarien disposera de trois voix; vous vous répartirez les trois autres comme vous voudrez. Les organisations clandestines resteront rigoureusement séparées et n'entreprendront d'action commune que sur un vote du Comité Central. C'est à prendre ou à laisser.

KARSKY Vous vous moquez de nous?

HOEDERER Vous n'êtes pas obligés d'accepter.

KARSKY (*au Prince*) Je vous avais dit qu'on ne pouvait pas s'entendre avec ces gens-là. Nous avons les deux tiers du pays, l'argent, les armes, des formations paramilitaires entraînées, sans compter la priorité morale que nous donnent nos martyrs; et voilà une poignée d'hommes sans le sou qui réclame tranquillement la majorité au Comité Central.

HOEDERER Alors? C'est non?

KARSKY C'est non. Nous nous passerons de vous.

HOEDERER Alors, allez-vous-en. (*Karsky hésite un instant, puis se dirige vers la porte. Le Prince ne bouge pas*) Regardez le Prince, Karsky: il est plus malin que vous et il a déjà compris.

LE PRINCE (*à Karsky, doucement*) Nous ne pouvons pas rejeter ces propositions sans examen.

KARSKY (*violemment*) Ce ne sont pas des propositions; ce sont des exigences absurdes que je refuse de discuter.

(*Mais il demeure immobile*)

HOEDERER En 42 la police traquait vos hommes et les nôtres, vous organisiez des attentats contre le Régent et nous sabotions la production de guerre; quand un type du Pentagone rencontrait un gars de chez nous il y en avait toujours un des deux qui restait sur le carreau. Aujourd'hui, brusquement, vous voulez que tout le monde s'embrasse. Pourquoi?

LE PRINCE Pour le bien de la Patrie.

HOEDERER Pourquoi n'est-ce pas le même bien qu'en 42? (*Un silence*) Est-ce que ce ne serait pas parce que les Russes ont battu Paulus à Stalingrad et que les troupes allemandes sont en train de perdre la guerre?

LE PRINCE Il est évident que l'évolution du conflit crée une situation nouvelle. Mais je ne vois pas . . .

HOEDERER Je suis sûr que vous voyez très bien au contraire . . . Vous voulez sauver l'Illyrie, j'en suis convaincu. Mais vous voulez la sauver telle qu'elle est, avec son régime d'inégalité sociale et ses privilèges de classe. Quand les Allemands semblaient vainqueurs, votre père s'est rangé de leur côté. Aujourd'hui que la chance tourne, il cherche à s'accommoder des Russes. C'est plus difficile.

KARSKY Hoederer, c'est en luttant contre l'Allemagne que tant des nôtres sont tombés et je ne vous laisserai pas dire que nous avons pactisé avec l'ennemi pour conserver nos privilèges.

HOEDERER Je sais, Karsky: le Pentagone était anti-allemand. Vous aviez la partie belle: le Régent donnait des gages à Hitler pour l'empêcher d'envahir l'Illyrie. Vous étiez aussi anti-russe, parce que les Russes étaient loin. L'Illyrie, l'Illyrie seule: je connais la chanson. Vous l'avez chantée pendant deux ans à la bourgeoisie nationaliste. Mais les Russes se rapprochent, avant un an ils seront chez nous; l'Illyrie ne sera plus tout à fait aussi seule. Alors? Il faut trouver des garanties. Quelle chance si vous pouviez leur dire: le Pentagone travaillait pour vous et le Régent jouait double jeu. Seulement voilà: ils ne sont pas obligés de vous croire. Que feront-ils? Hein? Que feront-ils? Après tout nous leur avons déclaré la guerre.

LE PRINCE Mon cher Hoederer, quand l'U.R.S.S. comprendra que nous avons sincèrement . . .

HOEDERER Quand elle comprendra qu'un dictateur fasciste et un parti conservateur ont sincèrement volé au secours de sa victoire, je doute qu'elle leur soit très reconnaissante. (*Un temps*) Un seul parti a conservé la confiance de l'U.R.S.S., un seul a su rester en contact avec elle pendant toute la guerre, un seul parti peut envoyer des émissaires à travers les lignes, un seul peut garantir votre petite combinaison: c'est le nôtre. Quand les Russes seront ici, ils verront par nos yeux. (*Un temps*) Allons: il faut en passer par où nous voudrons.

KARSKY J'aurais dû refuser de venir.

LE PRINCE Karsky!

KARSKY J'aurais dû prévoir que vous répondriez à des propositions honnêtes par un chantage abject.

HOEDERER Criez: je ne suis pas susceptible. Criez comme un cochon qu'on égorge. Mais retenez ceci: quand les armées soviétiques seront sur notre territoire, nous prendrons le pouvoir ensemble, vous et nous, si nous avons travaillé ensemble; mais si nous n'arrivons pas à nous entendre, à la fin de la guerre mon parti gouvernera *seul*. A présent, il faut choisir.

KARSKY Je . . .

LE PRINCE (*à Karsky*) La violence n'arrangera rien: il faut prendre une vue réaliste de la situation.

KARSKY (*au Prince*) Vous êtes un lâche: vous m'avez attiré dans un guet-apens pour sauver votre tête.

HOEDERER Quel guet-apens? Allez-vous-en si vous voulez. Je n'ai pas besoin de vous pour m'entendre avec le Prince.

KARSKY (*au Prince*) Vous n'allez pas . . .

LE PRINCE Pourquoi donc? Si la combinaison vous déplaît, nous ne voudrions pas vous obliger à y participer, mais ma décision ne dépend pas de la vôtre.

HOEDERER Il va de soi que l'alliance de notre Parti avec le gouvernement du Régent mettra le Pentagone en situation difficile pendant les derniers mois de la guerre; il va de soi aussi que nous procéderons à sa liquidation définitive quand les Allemands seront battus. Mais puisque vous tenez à rester pur . . .

KARSKY Nous avons lutté trois ans pour l'indépendance de notre pays, des milliers de jeunes gens sont morts pour notre cause, nous avons forcé l'estime du monde, tout cela pour qu'un beau jour le parti allemand s'associe au parti russe et nous assassine au coin d'un bois.

HOEDERER Pas de sentimentalisme, Karsky: vous avez perdu parce que vous deviez perdre. "L'Illyrie, l'Illyrie seule . . ." c'est un slogan qui protège mal un petit pays entouré de puissants voisins. (*Un temps*) Acceptez-vous mes conditions?

KARSKY Je n'ai pas qualité pour accepter: je ne suis pas seul.

HOEDERER Je suis pressé, Karsky.

LE PRINCE Mon cher Hoederer, nous pourrions peut-être lui laisser le temps de réfléchir: la guerre n'est pas finie et nous n'en sommes pas à huit jours près.

HOEDERER Moi, j'en suis à huit jours près. Karsky, je vous fais confiance. Je fais toujours confiance aux gens, c'est un principe. Je sais que vous devez consulter vos amis mais je sais aussi que vous les convaincrez. Si vous me donnez aujourd'hui votre acceptation de principe, je parlerai demain aux camarades du Parti.

HUGO (*se dressant brusquement*) Hoederer!

HOEDERER Quoi?

HUGO Comment osez-vous . . .?

HOEDERER Tais-toi.

HUGO Vous n'avez pas le droit. Ce sont . . . Mon Dieu! ce sont les mêmes. Les mêmes qui venaient chez mon père . . . Ce sont les mêmes bouches mornes et frivoles et . . . et ils me poursuivent jusqu'ici. Vous n'avez pas le droit, ils se glisseront partout, ils pourriront tout, ce sont les plus forts . . .

HOEDERER Vas-tu te taire!

HUGO Écoutez bien, vous deux: il n'aura pas le Parti derrière lui pour cette combine! Ne comptez pas sur lui pour vous blanchir, il n'aura pas le Parti derrière lui.

HOEDERER (*calmement, aux deux autres*) Aucune importance. C'est une réaction strictement personnelle.

LE PRINCE Oui, mais ces cris sont ennuyeux. Est-ce qu'on ne pourrait pas demander à vos gardes du corps de faire sortir ce jeune homme?

HOEDERER Mais comment! Il va sortir de lui-même.

(*Il se lève et va vers Hugo*)

HUGO (*reculant*) Ne me touchez pas. (*Il met la main à la poche où se trouve son revolver*) Vous ne voulez pas m'écouter? Vous ne voulez pas m'écouter?

(*A ce moment une forte détonation se fait entendre, les vitres volent en éclats, les montants de la fenêtre sont arrachés*)

HOEDERER A plat ventre!

(*Il saisit Hugo par les épaules et le jette par terre. Les deux autres s'aplatissent aussi*)

## *SCÈNE V*

*Les mêmes,* LEON, SLICK, GEORGES *qui entrent en courant. Plus tard,* JESSICA

SLICK Tu es blessé?

HOEDERER (*se relevant*) Non. Personne n'est blessé? (*A Karsky qui s'est relevé*) Vous saignez?

KARSKY Ce n'est rien. Des éclats de verre.

GEORGES Grenade?

HOEDERER Grenade ou pétard. Mais ils ont visé trop court. Fouillez le jardin.

HUGO (*tourné vers la fenêtre, pour lui-même*) Les salauds! Les salauds!

(*Léon et Georges sautent par la fenêtre*)

HOEDERER (*au Prince*) J'attendais quelque chose de ce genre mais je regrette qu'ils aient choisi ce moment.

LE PRINCE Bah! Ça me rappelle le palais de mon père. Karsky! Ce sont vos hommes qui ont fait le coup?

KARSKY Vous êtes fou?

HOEDERER C'est moi qu'on visait; cette affaire ne regarde que moi. (*A Karsky*) Vous voyez: mieux vaut prendre des précautions. (*Il le regarde*) Vous saignez beaucoup.

(*Jessica entre, essoufflée*)

JESSICA Hoederer est tué?

HOEDERER Votre mari n'a rien. (*A Karsky*) Léon vous fera monter dans ma chambre et vous pansera et puis nous reprendrons cet entretien.

SLICK Vous devriez tous monter, parce qu'ils peuvent remettre ça. Vous causerez pendant que Léon le pansera.

HOEDERER Soit.

(*Georges et Léon entrent par la fenêtre*)

Alors?

GEORGES Pétard. Ils l'ont jeté du jardin et puis ils ont calté. C'est le mur qui a tout pris.

HUGO Les salauds.

HOEDERER Montons. (*Ils se dirigent vers la porte. Hugo va pour les suivre*) Pas toi.

(*Ils se regardent, puis Hoederer se détourne et sort*)

## *SCÈNE VI*

HUGO, JESSICA, GEORGES *et* SLICK

HUGO (*entre ses dents*) Les salauds.

SLICK Hein?

HUGO Les gens qui ont lancé le pétard, ce sont des salauds.

(*Il va se verser à boire*)

SLICK Un peu nerveux, hein?

HUGO Bah!

SLICK Il n'y a pas de honte. C'est le baptême du feu. Tu t'y feras.

GEORGES Faut même qu'on te dise: à la longue, ça distrait. Pas vrai, Slick?

SLICK Ça change, ça réveille, ça dégourdit les jambes.

HUGO Je ne suis pas nerveux. Je râle.

(*Il boit*)

JESSICA Après qui, ma petite abeille?

HUGO Après les salauds qui ont lancé le pétard.

SLICK Tu as de la bonté de reste: nous autres, il y a longtemps qu'on ne râle plus.

GEORGES C'est notre gagne-pain: si c'était pas d'eux autres, nous, on ne serait pas ici.

HUGO Tu vois: tout le monde est calme, tout le monde est content. Il saignait comme un cochon, il s'essuyait la joue en souriant, il disait: "Ce n'est rien." Ils ont du courage. Ce sont les plus grands fils de putain de la terre et ils ont du courage, juste ce qu'il faut pour t'empêcher de les mépriser jusqu'au bout. (*Tristement*) C'est un casse-tête. (*Il boit*) Les vertus et les vices ne sont pas équitablement répartis.

JESSICA Tu n'es pas lâche, mon âme.

HUGO Je ne suis pas lâche, mais je ne suis pas courageux non plus. Trop de nerfs. Je voudrais m'endormir et rêver que je suis Slick. Regarde: cent kilogs de chair et une noisette dans la boîte crânienne, une vraie baleine. La noisette, là-haut, elle envoie des signaux de peur et de colère, mais ils se perdent dans cette masse. Ça le chatouille, c'est tout.

SLICK (*riant*) Tu l'entends.

GEORGES (*riant*) Il n'a pas tort.

(*Hugo boit*)

JESSICA Hugo!

HUGO Hé?

JESSICA Ne bois plus.

HUGO Pourquoi? Je n'ai plus rien à faire. Je suis relevé de mes fonctions.

JESSICA Hoederer t'a relevé de tes fonctions?

HUGO Hoederer? Qui parle de Hoederer? Tu peux penser ce que tu veux de Hoederer, mais c'est un homme qui m'a fait confiance. Tout le monde ne peut pas en dire autant. (*Il boit. Puis va vers Slick*) Il y a des gens qui te donnent une mission de confiance, hein, et tu te casses le cul pour l'accomplir et puis, au moment où tu vas réussir, tu t'aperçois qu'ils se foutaient de toi et qu'ils ont fait faire la besogne par d'autres.

JESSICA Veux-tu te taire! Tu ne vas pas leur raconter nos histoires de ménage.

HUGO De ménage? Ha! (*Déridé*) Elle est merveilleuse!

JESSICA C'est de moi qu'il parle. Voilà deux ans qu'il me reproche de ne pas lui faire confiance.

HUGO (*à Slick*) C'est une tête, hein? (*A Jessica*) Non, tu ne me fais pas confiance. Est-ce que tu me fais confiance?

JESSICA Certainement pas en ce moment.

HUGO Personne ne me fait confiance. Je dois avoir quelque chose de travers dans la gueule. Dis-moi que tu m'aimes.

JESSICA Pas devant eux.

SLICK Ne vous gênez pas pour nous.

HUGO Elle ne m'aime pas. Elle ne sait pas ce que c'est que l'amour. C'est un ange. Une statue de sel.

SLICK Une statue de sel?

HUGO Non, je voulais dire une statue de neige. Si tu la caresses elle fond.

GEORGES Sans blague.

JESSICA Viens, Hugo. Rentrons.

HUGO Attends, je vais donner un conseil à Slick. Je l'aime bien Slick, je l'ai à la bonne, parce qu'il est fort et qu'il ne pense pas. Tu veux un conseil, Slick?

SLICK Si je ne peux pas l'éviter.

HUGO Écoute: ne te marie pas trop jeune.

SLICK Ça ne risque rien.

HUGO (*qui commence à être saoul*) Non, mais écoute: ne te marie pas trop jeune. Tu comprends ce que je veux dire, hein? Ne te marie pas trop jeune. Te charge pas de ce que tu ne peux pas faire. Après ça pèse trop lourd. Tout est si lourd. Je ne sais pas si vous avez remarqué: c'est pas commode d'être jeune. (*Il rit*) Mission de confiance. Dis! où elle est, la confiance?

GEORGES Quelle mission?

HUGO Ah! je suis chargé de mission.

GEORGES Quelle mission?

HUGO Ils veulent me faire parler, mais avec moi c'est du temps perdu. Je suis impénétrable. (*Il se regarde dans la glace*) Impénétrable! Une gueule parfaitement inexpressive. La gueule de tout le monde. Ça devrait se voir, bon Dieu! Ça devrait se voir!

GEORGES Quoi?

HUGO Que je suis chargé d'une mission de confiance.

GEORGES Slick?

SLICK Hmm . . .

JESSICA (*tranquillement*) Ne vous cassez pas la tête: ça veut dire que je vais avoir un enfant. Il se regarde dans la glace pour voir s'il a l'air d'un père de famille.

HUGO Formidable! Un père de famille! C'est ça. C'est tout à fait ça. Un père de famille. Elle et moi nous nous entendons à demi-mot. Impénétrable! Ça devrait se reconnaître un . . . père de famille. A quelque chose. Un air sur le visage. Un goût dans la bouche. Une ronce dans le cœur. (*Il boit*) Pour Hoederer, je regrette. Parce que, je vous le dis, il aurait pu m'aider. (*Il rit*) Dites: ils sont là-haut qui causent et Léon lave le sale groin de Karsky. Mais vous êtes donc des bûches? Tirez-moi dessus.

SLICK (*à Jessica*) Ce petit gars-là ne devrait pas boire.

GEORGES Ça ne lui réussit pas.

HUGO Tirez sur moi, je vous dis. C'est votre métier. Écoutez donc: un père de famille, c'est jamais un vrai père de famille. Un assassin c'est jamais tout à fait un assassin. Ils jouent, vous comprenez. Tandis qu'un mort, c'est un mort pour de vrai. Être ou ne pas être, hein? Vous voyez ce que je veux dire. Il n'y a rien que je puisse être sinon un mort avec six pieds de terre par-dessus la tête. Tout ça, je vous le dis, c'est de la comédie. (*Il s'arrête brusquement*) Et ça aussi c'est de la comédie. Tout ça! Tout ce que je vous dis là. Vous croyez peut-être que je suis désespéré? Pas du tout: je joue la comédie du désespoir. Est-ce qu'on peut en sortir?

JESSICA Est-ce que tu veux rentrer?

HUGO Attends. Non. Je ne sais pas . . . Comment peut-on dire: je veux ou je ne veux pas?

JESSICA (*remplissant un verre*) Alors bois.

HUGO Bon.

(*Il boit*)

SLICK Vous n'êtes pas cinglée de le faire boire?

JESSICA C'est pour en finir plus vite. A présent, il n'y a plus qu'à attendre.

(*Hugo vide le verre. Jessica le remplit*)

HUGO (*saoul*) Qu'est-ce que je disais? Je parlais d'assassin? Jessica et moi nous savons ce que ça veut dire. La vérité c'est que ça cause trop là-dedans. (*Il se frappe le front*) Je voudrais le silence. (*A Slick*) Ce qu'il doit faire bon dans ta tête: pas un bruit, la nuit noire. Pourquoi tournez-vous si vite? Ne riez pas: je sais que je suis saoul, je sais que je suis abject. Je vais vous dire: je ne voudrais pas être à ma place. Oh! mais non. Ça n'est pas une bonne place. Ne tournez pas! Le tout c'est d'allumer la mèche. Ça n'a l'air de rien mais je ne vous souhaite pas d'en être chargés. La mèche, tout est là. Allumer la mèche. Après, tout le monde saute et moi avec: plus besoin d'alibi, le silence, la nuit. A moins que les morts aussi ne jouent la comédie. Supposez qu'on meure et qu'on découvre que les morts sont des vivants qui jouent à être morts! On verra. On verra. Seulement faut allumer la mèche. C'est le moment psychologique. (*Il rit*) Mais ne tournez pas, bon Dieu! ou bien je tourne aussi. (*Il essaye de tourner et tombe sur une chaise*) Et voilà les bienfaits d'une éducation bourgeoise.

(*Sa tête oscille. Jessica s'approche et le regarde*)

JESSICA Bon. C'est fini. Voulez-vous m'aider à le porter dans son lit?

(*Slick la regarde en se grattant le crâne*)

SLICK Il cause trop, votre mari.

JESSICA (*riant*) Vous ne le connaissez pas. Rien de ce qu'il dit n'a d'importance.

(*Slick et Georges le soulèvent par les épaules et les pieds*)

*Rideau*

# Cinquième Tableau

## DANS LE PAVILLON

### *SCÈNE PREMIÈRE*

HUGO, JESSICA, *puis* OLGA

*Hugo est étendu dans son lit, tout habillé, sous une couverture. Il dort. Il s'agite et gémit dans son sommeil. Jessica est assise à son chevet, immobile. Il gémit encore; elle se lève et va dans le cabinet de toilette. On entend l'eau qui coule, Olga est cachée derrière les rideaux de la fenêtre. Elle écarte les rideaux, elle passe la tête. Elle se décide et s'approche de Hugo. Elle le regarde. Hugo gémit. Olga lui redresse la tête et arrange son oreiller. Jessica revient sur ces entrefaites et voit la scène. Jessica tient une compresse humide.*

JESSICA Quelle sollicitude! Bonjour, Madame.

OLGA Ne criez pas. Je suis . . .

JESSICA Je n'ai pas envie de crier. Asseyez-vous donc. J'aurais plutôt envie de rire.

OLGA Je suis Olga Lorame.

JESSICA Je m'en suis doutée.

OLGA Hugo vous a parlé de moi?

JESSICA Oui.

OLGA Il est blessé?

JESSICA Non: il est saoul. (*Passant devant Olga*) Vous permettez? (*Elle pose la compresse sur le front de Hugo*)

OLGA Pas comme ça.
(*Elle arrange la compresse*)

JESSICA Excusez-moi.

OLGA Et Hoederer?

JESSICA Hoederer? Mais asseyez-vous, je vous en prie. (*Olga s'assied*) C'est vous qui avez lancé cette bombe, Madame?

OLGA Oui.

JESSICA Personne n'est tué: vous aurez plus de chance une autre fois. Comment êtes-vous entrée ici?

OLGA Par la porte. Vous l'avez laissée ouverte quand vous êtes sortie. Il ne faut jamais laisser les portes ouvertes.

JESSICA (*désignant Hugo*) Vous saviez qu'il était dans le bureau?

OLGA Non.

JESSICA Mais vous saviez qu'il pouvait y être?

OLGA C'était un risque à courir.

JESSICA Avec un peu de veine, vous l'auriez tué.

OLGA C'est ce qui pouvait lui arriver de mieux.

JESSICA Vraiment?

OLGA Le Parti n'aime pas beaucoup les traîtres.

JESSICA Hugo n'est pas un traître.

OLGA Je le crois. Mais je ne peux pas forcer les autres à le croire. (*Un temps*) Cette affaire traîne: il y a huit jours qu'elle devrait être terminée.

JESSICA Il faut trouver une occasion.

OLGA Les occasions, on les fait naître.

JESSICA C'est le Parti qui vous a envoyée?

OLGA Le Parti ne sait pas que je suis ici: je suis venue de moi-même.

JESSICA Je vois: vous avez mis une bombe dans votre sac à main et vous êtes venue gentiment la jeter sur Hugo pour sauver sa réputation.

OLGA Si j'avais réussi on aurait pensé qu'il s'était fait sauter avec Hoederer.

JESSICA Oui, mais il serait mort.

OLGA De quelque manière qu'il s'y prenne, à présent, il n'a plus beaucoup de chances de s'en tirer.

JESSICA Vous avez l'amitié lourde.

OLGA Sûrement plus lourde que votre amour. (*Elles se regardent*) C'est vous qui l'avez empêché de faire son travail?

JESSICA Je n'ai rien empêché du tout.

OLGA Mais vous ne l'avez pas aidé non plus.

JESSICA Pourquoi l'aurais-je aidé? Est-ce qu'il m'a consultée avant d'entrer au Parti? Et quand il a décidé qu'il n'avait rien de mieux à faire de sa vie que d'aller assassiner un inconnu, est-ce qu'il m'a consultée?

OLGA Pourquoi vous aurait-il consultée? Quel conseil auriez-vous pu lui donner?

JESSICA Évidemment.

OLGA Il a choisi ce Parti; il a demandé cette mission: ça devrait vous suffire.

JESSICA Ça ne me suffit pas.
(*Hugo gémit*)

OLGA Il ne va pas bien. Vous n'auriez pas dû le laisser boire.

JESSICA Il irait encore plus mal s'il avait reçu un éclat de votre bombe dans la figure. (*Un temps*) Quel dommage qu'il ne vous ait pas épousée: c'est une femme de tête qu'il lui fallait. Il serait resté dans votre chambre à repasser vos combinaisons pendant que vous auriez été jeter des grenades aux carrefours et nous aurions tous été très heureux. (*Elle la regarde*) Je vous croyais grande et osseuse.

OLGA Avec des moustaches?

JESSICA Sans moustaches mais avec une verrue sous le nez. Il avait toujours l'air si important quand il sortait de chez vous. Il disait: "Nous avons parlé politique."

OLGA Avec vous, naturellement, il n'en parlait jamais.

JESSICA Vous pensez bien qu'il ne m'a pas épousée pour ça. (*Un temps*) Vous êtes amoureuse de lui, n'est-ce pas?

OLGA Qu'est-ce que l'amour vient faire ici? Vous lisez trop de romans.

JESSICA Il faut bien s'occuper quand on ne fait pas de politique.

OLGA Rassurez-vous; l'amour ne tracasse pas beaucoup les femmes de tête. Nous n'en vivons pas.

JESSICA Tandis que moi, j'en vis?

OLGA Comme toutes les femmes de cœur.

JESSICA Va pour femme de cœur. J'aime mieux mon cœur que votre tête.

OLGA Pauvre Hugo!

JESSICA Oui. Pauvre Hugo! Comme vous devez me détester, Madame.

OLGA Moi? Je n'ai pas de temps à perdre. (*Un silence*) Réveillez-le. J'ai à lui parler.

JESSICA (*s'approche du lit et secoue Hugo*) Hugo! Hugo! Tu as des visites.

HUGO Hein? (*Il se redresse*) Olga! Olga, tu es venue! Je suis content que tu sois là, il faut que tu m'aides. (*Il s'assied sur le bord du lit*) Bon Dieu que j'ai mal au crâne. Où sommes-nous? Je suis content que tu sois venue, tu sais. Attends: il est arrivé quelque chose, un gros ennui. Tu ne peux plus m'aider. A présent, tu ne peux plus m'aider. Tu as lancé le pétard, n'est-ce pas?

OLGA Oui.

HUGO Pourquoi ne m'avez-vous pas fait confiance?

OLGA Hugo, dans un quart d'heure, un camarade jettera une corde par-dessus le mur et il faudra que je m'en aille. Je suis pressée et il faut que tu m'écoutes.

JESSICA Pourquoi ne m'avez-vous pas fait confiance?

OLGA Jessica, donnez-moi ce verre et cette carafe.

(*Jessica les lui donne. Elle remplit le verre et jette l'eau à la figure de Hugo*)

HUGO Pfou!

OLGA Tu m'écoutes?

HUGO Oui. (*Il s'essuie*) Qu'est-ce que je tiens comme mal au crâne. Il reste de l'eau dans la carafe?

JESSICA Oui.

HUGO Verse-moi à boire, veux-tu? (*Elle lui tend le verre et il boit*) Qu'est-ce qu'ils pensent les copains?

OLGA Que tu es un traître.

HUGO Ils vont fort.

OLGA Tu n'as plus un jour à perdre. L'affaire doit être réglée avant demain soir.

HUGO Tu n'aurais pas dû lancer le pétard.

OLGA Hugo, tu as voulu te charger d'une tâche difficile et t'en charger seul. J'ai eu confiance la première, quand il y avait cent raisons de te refuser et j'ai communiqué ma confiance aux autres. Mais nous ne sommes pas des boy-scouts et le Parti n'a pas été créé pour te fournir des occasions d'héroïsme. Il y a un travail à faire et il faut qu'il soit fait; peu importe par qui. Si dans vingt-quatre heures tu n'as pas terminé ta besogne, on enverra quelqu'un pour la finir à ta place.

HUGO Si on me remplace, je quitterai le Parti.

OLGA Qu'est-ce que tu t'imagines? Crois-tu qu'on peut quitter le Parti? Nous sommes en guerre, Hugo, et les camarades ne rigolent pas. Le Parti, ça se quitte les pieds devant.

HUGO Je n'ai pas peur de mourir.

OLGA Ce n'est rien de mourir. Mais mourir si bêtement, après avoir tout raté; se faire buter comme une donneuse, pis encore, comme un petit imbécile dont on se débarrasse par crainte de ses maladresses. Est-ce que c'est ça que tu veux? Est-ce que c'est ça que tu voulais, la première fois que tu es venu chez moi, quand tu avais l'air si heureux et si fier? Mais dites-le-lui, vous! Si vous l'aimez un peu, vous ne pouvez pas vouloir qu'on l'abatte comme un chien.

JESSICA Vous savez bien, Madame, que je n'entends rien à la politique.

OLGA Qu'est-ce que tu décides?

HUGO Tu n'aurais pas dû jeter ce pétard.

OLGA Qu'est-ce que tu décides?

HUGO Vous le saurez demain.

OLGA C'est bon. Adieu, Hugo.

HUGO Adieu, Olga.

JESSICA Au revoir, Madame.

OLGA Éteignez. Il ne faut pas qu'on me voie sortir.
(*Jessica éteint. Olga ouvre la porte et sort*)

## *SCÈNE II*

HUGO, JESSICA

JESSICA Je rallume?

HUGO Attends. Elle sera peut-être obligée de revenir.
(*Ils attendent dans le noir*)

JESSICA On pourrait entrouvrir les volets, pour voir.

HUGO Non.
(*Un silence*)

JESSICA Tu as de la peine? (*Hugo ne répond pas*) Réponds, pendant qu'il fait noir.

HUGO J'ai mal au crâne, c'est tout. (*Un temps*) Ça n'est pas grand-chose, la confiance, quand ça ne résiste pas à huit jours d'attente.

JESSICA Pas grand-chose, non.

HUGO Et comment veux-tu vivre, si personne ne te fait confiance?

JESSICA Personne ne m'a jamais fait confiance, toi moins que les autres. Je me suis tout de même arrangée.

HUGO C'était la seule qui croyait un peu en moi.

JESSICA Hugo . . .

HUGO La seule, tu le sais bien. (*Un temps*) Elle doit être en sûreté à présent. Je crois qu'on peut rallumer. (*Il rallume. Jessica se détourne brusquement*) Qu'est-ce qu'il y a?

JESSICA Ça me gêne de te voir à la lumière.

HUGO Veux-tu que j'éteigne?

JESSICA Non. (*Elle revient vers lui*) Toi. Toi, tu vas tuer un homme.

HUGO Est-ce que je sais ce que je vais faire?

JESSICA Montre-moi le revolver.

HUGO Pourquoi?

JESSICA Je veux voir comment c'est fait.

HUGO Tu l'as promené sur toi tout l'après-midi.

JESSICA A ce moment-là, ce n'était qu'un jouet.

HUGO (*le lui tendant*) Fais attention.

JESSICA Oui. (*Elle le regarde*) C'est drôle.

HUGO Qu'est-ce qui est drôle?

JESSICA Il me fait peur à présent. Reprends-le. (*Un temps*) Tu vas tuer un homme.

(*Hugo se met à rire*)

JESSICA Pourquoi ris-tu?

HUGO Tu y crois à présent! Tu t'es décidée à y croire?

JESSICA Oui.

HUGO Tu as bien choisi ton moment: personne n'y croit plus. (*Un temps*) Il y a huit jours, ça m'aurait peut-être aidé . . .

JESSICA Ce n'est pas ma faute: je ne crois que ce que je vois. Ce matin encore, je ne pouvais même pas imaginer qu'il meure. (*Un temps*) Je suis entrée dans le bureau tout à l'heure, il y avait le type qui saignait et vous étiez tous des morts. Hoederer, c'était un mort; je l'ai vu sur son visage! Si ce n'est pas toi qui le tue, ils enverront quelqu'un d'autre.

HUGO Ce sera moi. (*Un temps*) Le type qui saignait, c'était sale, hein?

JESSICA Oui. C'était sale.

HUGO Hoederer aussi va saigner.

JESSICA Tais-toi.

HUGO Il sera couché par terre avec un air idiot et il saignera dans ses vêtements.

JESSICA (*d'une voix lente et basse*) Mais tais-toi donc.

HUGO Elle a jeté un pétard contre le mur. Il n'y a pas de quoi être fière: elle ne nous voyait même pas. N'importe qui peut tuer si on ne l'oblige pas à voir ce qu'il fait. J'allais tirer, moi. J'étais dans le bureau, je les regardais en face et j'allais tirer; c'est elle qui m'a fait manquer mon coup.

JESSICA Tu allais tirer pour de bon?

HUGO J'avais la main dans ma poche et le doigt sur la gâchette.

JESSICA Et tu allais tirer! Tu es sûr que tu aurais pu tirer?

HUGO Je . . . j'avais la chance d'être en colère. Naturellement, j'allais tirer. A présent tout est à recommencer. (*Il rit*) Tu l'as entendue: ils disent que je suis un traître. Ils ont beau jeu: là-bas, quand ils décident qu'un homme va mourir, c'est comme s'ils rayaient un nom sur un annuaire: c'est propre, c'est élégant. Ici, la mort est une besogne. Les abattoirs, c'est ici. (*Un temps*) Il boit, il fume, il me parle du Parti, il fait des projets et moi je pense au cadavre qu'il sera, c'est obscène. Tu as vu ses yeux?

JESSICA Oui.

HUGO Tu as vu comme ils sont brillants et durs? Et vifs?

JESSICA Oui.

HUGO C'est peut-être dans ses yeux que je tirerai. On vise le ventre, tu sais, mais l'arme se relève.

JESSICA J'aime ses yeux.

HUGO (*brusquement*) C'est abstrait.

JESSICA Quoi?

HUGO Un meurtre, je dis que c'est abstrait. Tu appuies sur la gâchette et après ça tu ne comprends plus rien à ce qui arrive. (*Un temps*) Si l'on pouvait tirer en détournant la tête. (*Un temps*) Je me demande pourquoi je te parle de tout ça.

JESSICA Je me le demande aussi.

HUGO Je m'excuse. (*Un temps*) Pourtant si j'étais dans ce lit, en train de crever, tu ne m'abandonnerais tout de même pas?

JESSICA Non.

HUGO C'est la même chose; tuer, mourir, c'est la même chose: on est aussi seul. Il a de la veine, lui, il ne mourra qu'une fois. Moi, voilà dix jours que je le tue, à chaque minute. (*Brusquement*) Qu'est-ce que tu ferais, Jessica?

JESSICA Comment?

HUGO Écoute: si demain je n'ai pas tué, il faut que je disparaisse ou alors que j'aille les trouver et que je leur dise: faites de moi ce que vous voudrez. Si je tue . . . (*Il se cache un instant le visage avec la main*) Qu'est-ce qu'il faut que je fasse? Que ferais-tu?

JESSICA Moi? Tu me le demandes, à moi, ce que je ferais à ta place?

HUGO A qui veux-tu que je le demande? Je n'ai plus que toi au monde.

JESSICA C'est vrai. Tu n'as plus que moi. Plus que moi. Pauvre Hugo. (*Un temps*) J'irais trouver Hoederer et je lui dirais: voilà; on m'a envoyé ici pour vous tuer mais j'ai changé d'avis et je veux travailler avec vous.

HUGO Pauvre Jessica!

JESSICA Ce n'est pas possible?

HUGO C'est justement ça qui s'appellerait trahir.

JESSICA (*tristement*) Tu vois! Je ne peux rien te dire. (*Un temps*) Pourquoi n'est-ce pas possible? Parce qu'il n'a pas tes idées?

HUGO Si tu veux. Parce qu'il n'a pas mes idées.

JESSICA Et il faut tuer les gens qui n'ont pas vos idées?

HUGO Quelquefois.

JESSICA Mais pourquoi as-tu choisi les idées de Louis et d'Olga?

HUGO Parce qu'elles étaient vraies.

JESSICA Mais, Hugo, suppose que tu aies rencontré Hoederer l'an dernier, au lieu de Louis. Ce sont ses idées à lui qui te sembleraient vraies.

HUGO Tu es folle.

JESSICA Pourquoi?

HUGO On croirait à t'entendre que toutes les opinions se valent et qu'on les attrape comme des maladies.

JESSICA Je ne pense pas ça; je . . . je ne sais pas ce que je pense. Hugo, il est si fort, il suffit qu'il ouvre la bouche pour qu'on soit sûr qu'il a raison. Et puis je croyais qu'il était sincère et qu'il voulait le bien du Parti.

HUGO Ce qu'il veut, ce qu'il pense, je m'en moque. Ce qui compte c'est ce qu'il fait.

JESSICA Mais . . .

HUGO *Objectivement*, il agit comme un social-traître.

JESSICA (*sans comprendre*) Objectivement?

HUGO Oui.

JESSICA Ah! (*Un temps*) Et lui, s'il savait ce que tu prépares, est-ce qu'il penserait que tu es un social-traître?

HUGO Je n'en sais rien.

JESSICA Mais est-ce qu'il le penserait?

HUGO Qu'est-ce que ça peut faire? Oui, probablement.

JESSICA Alors, qui a raison?

HUGO Moi.

JESSICA Comment le sais-tu?

HUGO La politique est une science. Tu peux démontrer que tu es dans le vrai et que les autres se trompent.

JESSICA Dans ce cas pourquoi hésites-tu?

HUGO Ce serait trop long à t'expliquer.

JESSICA Nous avons la nuit.

HUGO Il faudrait des mois et des années.

JESSICA Ah! (*Elle va aux livres*) Et tout est écrit là-dedans?

HUGO En un sens, oui. Il suffit de savoir lire.

JESSICA Mon Dieu! (*Elle en prend un, l'ouvre, le regarde, fascinée, et le repose en soupirant*) Mon Dieu!

HUGO A présent, laisse-moi. Dors ou fais ce que tu veux.

JESSICA Qu'est-ce qu'il y a? Qu'est-ce que j'ai dit?

HUGO Rien. Tu n'as rien dit. C'est moi qui suis coupable: c'était une folie de te demander de l'aide. Tes conseils viennent d'un autre monde.

JESSICA A qui la faute? Pourquoi ne m'a-t-on rien appris? Pourquoi ne m'as-tu rien expliqué? Tu as entendu ce qu'il a dit? Que j'étais ton luxe. Voilà dix-neuf ans qu'on m'a installée dans votre monde d'hommes avec défense de toucher aux objets exposés et vous m'avez fait croire que tout marchait très bien et que je n'avais à m'occuper de rien sauf de mettre des fleurs dans les vases. Pourquoi m'avez-vous menti? Pourquoi m'avez-vous laissée dans l'ignorance, si c'était pour m'avouer un beau jour que ce monde craque de partout et que vous êtes des incapables et pour m'obliger à choisir entre un suicide et un assassinat? Je ne veux pas choisir: je ne veux pas que tu te laisses tuer, je ne veux pas que tu le tues. Pourquoi m'a-t-on mis ce fardeau sur les épaules? Je ne connais rien à vos histoires et je m'en lave les mains. Je ne suis ni oppresseur, ni social-traître, ni révolutionnaire, je n'ai rien fait, je suis innocente de tout.

HUGO Je ne te demande plus rien, Jessica.

JESSICA C'est trop tard, Hugo; tu m'as mise dans le coup. A présent il faut que je choisisse. Pour toi et pour moi: c'est ma vie que je choisis avec la tienne et je . . . Oh! mon Dieu! je ne peux pas.

HUGO Tu vois bien.

(*Un silence. Hugo est assis sur le lit, les yeux dans le vide. Jessica s'assied près de lui et lui met les bras autour du cou*)

JESSICA Ne dis rien. Ne t'occupe pas de moi. Je ne te parlerai pas; je ne t'empêcherai pas de réfléchir. Mais je serai là. Il fait froid au matin: tu seras content d'avoir un peu de ma chaleur, puisque je n'ai rien d'autre à te donner. Ta tête te fait toujours mal?

HUGO Oui.

JESSICA Mets-la sur mon épaule. Ton front brûle. (*Elle lui caresse les cheveux*) Pauvre tête.

HUGO (*se redressant brusquement*) Assez!

JESSICA (*doucement*) Hugo!

HUGO Tu joues à la mère de famille.

JESSICA Je ne joue pas. Je ne jouerai plus jamais.

HUGO Ton corps est froid et tu n'as pas de chaleur à me donner. Ce n'est pas difficile de se pencher sur un homme avec un air maternel et de lui passer la main dans les cheveux; n'importe quelle fillette rêverait d'être à ta place. Mais quand je t'ai prise dans mes bras et que je t'ai demandé d'être ma femme, tu ne t'en es pas si bien tirée.

JESSICA Tais-toi.

HUGO Pourquoi me tairais-je? Est-ce que tu ne sais pas que notre amour était une comédie?

JESSICA Ce qui compte, cette nuit, ce n'est pas notre amour: c'est ce que tu feras demain.

HUGO Tout se tient. Si j'avais été sûr . . . (*Brusquement*) Jessica, regarde-moi. Peux-tu me dire que tu m'aimes? (*Il la regarde. Silence*) Et voilà. Je n'aurai même pas eu ça.

JESSICA Et toi, Hugo? Crois-tu que tu m'aimais? (*Il ne répond pas*) Tu vois bien. (*Un temps. Brusquement*) Pourquoi n'essayes-tu pas de le convaincre?

HUGO De le convaincre? Qui? Hoederer?

JESSICA Puisqu'il se trompe, tu dois pouvoir lc lui prouver.

HUGO Penses-tu! Il est trop chinois.

JESSICA Comment sais-tu que tes idées sont justes si tu ne peux pas le démontrer? Hugo, ce serait si bien, tu réconcilierais tout le monde, tout le monde serait content, vous travailleriez tous ensemble. Essaye, Hugo, je t'en prie. Essaye au moins une fois avant de le tuer.

(*On frappe. Hugo se redresse et ses yeux brillent*)

HUGO C'est Olga. Elle est revenue; j'étais sûr qu'elle reviendrait. Éteins la lumière et va ouvrir.

JESSICA Comme tu as besoin d'elle.

(*Elle va éteindre et ouvre la porte. Hoederer entre. Hugo rallume quand la porte est fermée*)

## SCÈNE III

HUGO, JESSICA, HOEDERER

JESSICA (*reconnaissant Hoederer*) Ha!

HOEDERER Je t'ai fait peur?

JESSICA Je suis nerveuse, ce soir. Il y a eu cette bombe . . .

HOEDERER Oui. Bien sûr. Vous avez l'habitude de rester dans le noir?

JESSICA J'y suis forcée. Mes yeux sont très fatigués.

HOEDERER Ah! (*Un temps*) Je peux m'asseoir un moment? (*Il s'assied dans le fauteuil*) Ne vous gênez pas pour moi.

HUGO Vous avez quelque chose à me dire?

HOEDERER Non. Non, non. Tu m'as fait rire tout à l'heure: tu étais rouge de colère.

HUGO Je . . .

HOEDERER Ne t'excuse pas: je m'y attendais. Je me serais même inquiété si tu n'avais pas protesté. Il y a beaucoup de choses qu'il faudra que je t'explique. Mais demain. Demain nous parlerons tous les deux. A présent ta journée est finie. La mienne aussi. Drôle de journée, hein? Pourquoi n'accrochez-vous pas de gravures aux murs? Ça ferait moins nu. Il y en a au grenier. Slick vous les descendra.

JESSICA Comment sont-elles?

HOEDERER Il y a de tout. Tu pourras choisir.

JESSICA Je vous remercie. Je ne tiens pas aux gravures.

HOEDERER Comme tu voudras. Vous n'avez rien à boire?

JESSICA Non. Je regrette.

HOEDERER Tant pis! Tant pis! Qu'est-ce que vous faisiez avant que j'arrive?

JESSICA Nous causions.

HOEDERER Eh bien, causez! causez! Ne vous occupez pas de moi. (*Il bourre sa pipe et l'allume. Un silence très lourd. Il sourit*) Oui, évidemment.

JESSICA Ce n'est pas très commode de s'imaginer que vous n'êtes pas là.

HOEDERER Vous pouvez très bien me mettre à la porte. (*A Hugo*) Tu n'es pas obligé de recevoir ton patron quand il a des lubies. (*Un temps*) Je ne sais pas pourquoi je suis venu. Je n'avais pas sommeil, j'ai essayé de travailler . . . (*Haussant les épaules*) On ne peut pas travailler tout le temps.

JESSICA Non.

HOEDERER Cette affaire va finir . . .

HUGO (*vivement*) Quelle affaire?

HOEDERER L'affaire avec Karsky. Il se fait un peu tirer l'oreille mais ça ira plus vite que je ne pensais.

HUGO (*violemment*) Vous . . .

HOEDERER Chut. Demain! Demain! (*Un temps*) Quand une affaire est en voie de se terminer, on se sent désœuvré. Vous aviez de la lumière il y a un moment?

JESSICA Oui.

HOEDERER Je m'étais mis à la fenêtre. Dans le noir, pour ne pas servir de cible. Vous avez vu comme la nuit est sombre et calme? La lumière passait par la fente de vos volets. (*Un temps*) Nous avons vu la mort de près.

JESSICA Oui.

HOEDERER (*avec un petit rire*) De tout près. (*Un temps*) Je suis sorti tout doucement de ma chambre. Slick dormait dans le couloir. Dans le salon, Georges dormait. Léon dormait dans le vestibule. J'avais envie de le réveiller et puis . . . Bah! (*Un temps*) Alors voilà: je suis venu. (*A Jessica*) Qu'est-ce qu'il y a? Tu avais l'air moins intimidée cet après-midi.

JESSICA C'est à cause de l'air que vous avez.

HOEDERER Quel air?

JESSICA Je croyais que vous n'aviez besoin de personne.

HOEDERER Je n'ai besoin de personne. (*Un temps*) Slick m'a dit que tu étais enceinte?

JESSICA (*vivement*) Ce n'est pas vrai.

HUGO Voyons, Jessica, si tu l'as dit à Slick, pourquoi le cacher à Hoederer?

JESSICA Je me suis moquée de Slick.

HOEDERER (*la regarde longuement*) Bon. (*Un temps*) Quand j'étais député au Landstag, j'habitais chez un garagiste. Le soir je venais fumer la pipe dans leur salle à manger. Il y avait une radio, les enfants jouaient . . . (*Un temps*) Allons, je vais me coucher. C'était un mirage.

JESSICA Qu'est-ce qui était un mirage?

HOEDERER (*avec un geste*) Tout ça. Vous aussi. Il faut travailler, c'est tout ce qu'on peut faire. Tu téléphoneras au village, pour que le menuisier vienne réparer la fenêtre du bureau. (*Il le regarde*) Tu as l'air éreinté. Il paraît que tu t'es saoulé? Dors, cette nuit. Tu n'as pas besoin de venir avant neuf heures.

(*Il se lève. Hugo fait un pas. Jessica se jette entre eux*)

JESSICA Hugo, c'est le moment.

HUGO Quoi?

JESSICA Tu m'as promis de le convaincre.

HOEDERER De me convaincre?

HUGO Tais-toi.

(*Il essaie de l'écarter. Elle se met devant lui*)

Il n'est pas d'accord avec vous.

HOEDERER (*amusé*) Je m'en suis aperçu.

JESSICA Il voudrait vous expliquer.

HOEDERER Demain! Demain!

JESSICA Demain il sera trop tard.

HOEDERER Pourquoi?

JESSICA (*toujours devant Hugo*) Il . . . il dit qu'il ne veut plus vous servir de secrétaire si vous ne l'écoutez pas. Vous n'avez sommeil ni l'un ni l'autre et vous avez toute la nuit et . . . et vous avez frôlé la mort, ça rend plus conciliant.

HUGO Laisse tomber, je te dis.

JESSICA Hugo, tu m'as promis! (*A Hoederer*) Il dit que vous êtes un social-traître.

HOEDERER Un social-traître! Rien que ça!

JESSICA Objectivement. Il a dit: objectivement.

HOEDERER (*changeant de ton et de visage*) Ça va. Eh bien, mon petit gars, dis-moi ce que tu as sur le cœur, puisqu'on ne peut pas l'empêcher. Il faut que je règle cette affaire avant d'aller me coucher. Pourquoi suis-je un traître?

HUGO Parce que vous n'avez pas le droit d'entraîner le Parti dans vos combines.

HOEDERER Pourquoi pas?

HUGO C'est une organisation révolutionnaire et vous allez en faire un parti de gouvernement.

HOEDERER Les partis révolutionnaires sont faits pour prendre le pouvoir.

HUGO Pour le prendre. Oui. Pour s'en emparer par les armes. Pas pour l'acheter par un maquignonnage.

HOEDERER C'est le sang que tu regrettes? J'en suis fâché mais tu devrais savoir que nous ne pouvons pas nous imposer par la force. En cas de guerre civile, le Pentagone a les armes et les chefs militaires. Il servirait de cadre aux troupes contre-révolutionnaires.

HUGO Qui parle de guerre civile? Hoederer, je ne vous comprends pas; il suffirait d'un peu de patience. Vous l'avez dit vous-même: l'Armée rouge chassera le Régent et nous aurons le pouvoir pour nous seuls.

HOEDERER Et comment ferons-nous pour le garder? (*Un temps*) Quand l'Armée rouge aura franchi nos frontières, je te garantis qu'il y aura de durs moments à passer.

HUGO L'Armée rouge . . .

HOEDERER Oui, oui. Je sais. Moi aussi, je l'attends. Et avec impatience. Mais il faut bien que tu te le dises: toutes les armées en guerre, libératrices ou non, se ressemblent: elles vivent sur le pays occupé. Nos paysans détesteront les Russes, c'est fatal, comment veux-tu qu'ils nous aiment, nous que les Russes auront imposés? On nous appellera le parti de l'étranger ou peut-être pis. Le Pentagone rentrera dans la clandestinité; il n'aura même pas besoin de changer ses slogans.

HUGO Le Pentagone, je . . .

HOEDERER Et puis, il y a autre chose: le pays est ruiné; il se peut même qu'il serve de champ de bataille. Quel que soit le gouvernement qui succédera à celui du Régent, il devra prendre des mesures terribles qui le feront haïr. Au lendemain du départ de l'Armée rouge, nous serons balayés par une insurrection.

HUGO Une insurrection, ça se brise. Nous établirons un ordre de fer.

HOEDERER Un ordre de fer? Avec quoi? Même après la Révolution le prolétariat restera le plus faible et pour longtemps. Un ordre de fer! Avec un parti bourgeois qui fera du sabotage et une population paysanne qui brûlera ses récoltes pour nous affamer?

HUGO Et après? Le Parti bolchevique en a vu d'autres en 17.

HOEDERER Il n'était pas imposé par l'étranger. Maintenant écoute, petit, et tâche de comprendre; nous prendrons le pouvoir avec les libéraux de Karsky et les conservateurs du Régent. Pas d'histoires, pas de casse: l'Union nationale. Personne ne pourra nous reprocher d'être installés par l'étranger. J'ai demandé la moitié des voix au Comité de Résistance mais je ne ferai pas la sottise de demander la moitié des portefeuilles. Une minorité, voilà ce que nous devons être. Une minorité qui laissera aux autres partis la responsabilité des mesures impopulaires et qui gagnera la popularité en faisant de l'opposition à l'intérieur du gouvernement. Ils sont coincés: en deux ans tu verras la faillite de la politique libérale et c'est le pays tout entier qui nous demandera de faire notre expérience.

HUGO Et à ce moment-là le Parti sera foutu.

HOEDERER Foutu? Pourquoi?

HUGO Le Parti a un programme: la réalisation d'une économie socialiste, et un moyen: l'utilisation de la lutte de classes. Vous allez vous servir de lui pour faire une politique de collaboration de classes dans le cadre d'une économie capitaliste. Pendant des années vous allez mentir, ruser, louvoyer, vous irez de compromis en compromis; vous défendrez devant nos camarades des mesures réactionnaires prises par un gouvernement dont vous ferez partie. Personne ne comprendra: les durs nous quitteront, les autres perdront la culture politique qu'ils viennent d'acquérir. Nous serons contaminés, amollis, désorientés; nous deviendrons réformistes et nationalistes; pour finir, les partis bourgeois n'auront qu'à prendre la peine de nous liquider. Hoederer! ce Parti, c'est le vôtre, vous ne pouvez pas avoir oublié la peine que vous avez prise pour le forger, les sacrifices qu'il a fallu demander, la discipline qu'il a fallu imposer. Je vous en supplie: ne le sacrifiez pas de vos propres mains.

HOEDERER Que de bavardages! Si tu ne veux pas courir de risques il ne faut pas faire de politique.

HUGO Je ne veux pas courir ces risques-là.

HOEDERER Parfait: alors comment garder le pouvoir?

HUGO Pourquoi le prendre?

HOEDERER Es-tu fou? Une armée socialiste va occuper le pays et tu la laisserais repartir sans profiter de son aide? C'est une occasion qui ne se reproduira jamais plus: je te dis que nous ne sommes pas assez forts pour faire la Révolution seuls.

HUGO On ne doit pas prendre le pouvoir à ce prix.

HOEDERER Qu'est-ce que tu veux faire du Parti? Une écurie de courses? A quoi ça sert-il de fourbir un couteau tous les jours si l'on n'en use jamais pour trancher? Un parti, ce n'est jamais qu'un moyen. Il n'y a qu'un seul but: le pouvoir.

HUGO Il n'y a qu'un seul but: c'est de faire triompher nos idées, toutes nos idées et rien qu'elles.

HOEDERER C'est vrai: tu as des idées, toi. Ça te passera.

HUGO Vous croyez que je suis le seul à en avoir? Ça n'était pas pour des idées qu'ils sont morts, les copains qui se sont fait tuer par la police du Régent? Vous croyez que nous ne les trahirions pas, si nous faisions servir le Parti à dédouaner leurs assassins?

HOEDERER Je me fous des morts. Ils sont morts pour le Parti et le Parti peut décider ce qu'il veut. Je fais une politique de vivant, pour les vivants.

HUGO Et vous croyez que les vivants accepteront vos combines?

HOEDERER On les leur fera avaler tout doucement.

HUGO En leur mentant?

HOEDERER En leur mentant quelquefois.

HUGO Vous . . . vous avez l'air si vrai, si solide! Ça n'est pas possible que vous acceptiez de mentir aux camarades.

HOEDERER Pourquoi? Nous sommes en guerre et ça n'est pas l'habitude de mettre le soldat heure par heure au courant des opérations.

HUGO Hoederer, je . . . je sais mieux que vous ce que c'est que le mensonge; chez mon père tout le monde se mentait, tout le monde me mentait. Je ne respire que depuis mon entrée au Parti. Pour la première fois j'ai vu des hommes qui ne mentaient pas aux autres hommes. Chacun pouvait avoir confiance en tous et tous en chacun, le militant le plus humble avait le sentiment que les ordres des dirigeants lui révélaient sa volonté profonde et, s'il y avait un coup dur, on savait pourquoi on acceptait de mourir. Vous n'allez pas . . .

HOEDERER Mais de quoi parles-tu?

HUGO De notre Parti.

HOEDERER De notre Parti? Mais on y a toujours un peu menti. Comme partout ailleurs. Et toi Hugo, tu es sûr que tu ne t'es jamais menti, que tu n'as jamais menti, que tu ne mens pas à cette minute même?

HUGO Je n'ai jamais menti aux camarades. Je . . . A quoi ça sert de lutter pour la libération des hommes, si on les méprise assez pour leur bourrer le crâne?

HOEDERER Je mentirai quand il faudra et je ne méprise personne. Le mensonge, ce n'est pas moi qui l'ai inventé: il est né dans une société divisée en classes et chacun de nous l'a hérité en naissant. Ce n'est pas en refusant de mentir que nous abolirons le mensonge: c'est en usant de tous les moyens pour supprimer les classes.

HUGO Tous les moyens ne sont pas bons.

HOEDERER Tous les moyens sont bons quand ils sont efficaces.

HUGO Alors, de quel droit condamnez-vous la politique du Régent? Il a déclaré la guerre à l'U.R.S.S. parce que c'était le moyen le plus efficace de sauvegarder l'indépendance nationale.

HOEDERER Est-ce que tu t'imagines que je la condamne? Il a fait ce que n'importe quel type de sa caste aurait fait à sa place. Nous ne luttons ni contre des hommes ni contre une politique mais contre la classe qui produit cette politique et ces hommes.

HUGO Et le meilleur moyen que vous ayez trouvé pour lutter contre elle, c'est de lui offrir de partager le pouvoir avec vous?

HOEDERER Parfaitement. Aujourd'hui, c'est le meilleur moyen. (*Un temps*) Comme tu tiens à ta pureté, mon petit gars! Comme tu as peur de te salir les mains. Eh bien, reste pur! A quoi cela servira-t-il et pourquoi viens-tu parmi nous? La pureté, c'est une idée de fakir et de moine. Vous autres, les intellectuels, les anarchistes bourgeois, vous en tirez prétexte pour ne rien faire. Ne rien faire, rester immobile, serrer les coudes contre le corps, porter des gants. Moi j'ai les mains sales. Jusqu'aux coudes. Je les ai plongées dans la merde et dans le sang. Et puis après? Est-ce que tu t'imagines qu'on peut gouverner innocemment?

HUGO On s'apercevra peut-être un jour que je n'ai pas peur du sang.

HOEDERER Parbleu: des gants rouges, c'est élégant. C'est le reste qui te fait peur. C'est ce qui pue à ton petit nez d'aristocrate.

HUGO Et nous y voilà revenus: je suis un aristocrate, un type qui n'a jamais eu faim! Malheureusement pour vous, je ne suis pas seul de mon avis.

HOEDERER Pas seul? Tu savais donc quelque chose de mes négociations avant de venir ici?

HUGO N-non. On en avait parlé en l'air, au Parti, et la plupart des types n'étaient pas d'accord et je peux vous jurer que ce n'étaient pas des aristocrates.

HOEDERER Mon petit, il y a malentendu: je les connais, les gars du Parti qui ne sont pas d'accord avec ma politique et je peux te dire qu'ils sont de mon espèce, pas de la tienne – et tu ne tarderas pas à le découvrir. S'ils ont désapprouvé ces négociations, c'est tout simplement qu'ils les jugent inopportunes; en d'autres circonstances ils seraient les premiers à les engager. Toi, tu en fais une affaire de principes.

HUGO Qui a parlé de principes?

HOEDERER Tu n'en fais pas une affaire de principes? Bon. Alors voici qui doit te convaincre: si nous traitons avec le Régent, il arrête la guerre; les troupes illyriennes attendent gentiment que les Russes viennent les désarmer; si nous rompons les pourparlers, il sait qu'il est perdu et il se battra comme un chien enragé; des centaines de milliers d'hommes y laisseront leur peau. Qu'en dis-tu? (*Un silence*) Hein? Qu'en dis-tu? Peux-tu rayer cent mille hommes d'un trait de plume?

HUGO (*péniblement*) On ne fait pas la révolution avec des fleurs. S'ils doivent y rester . . .

HOEDERER Eh bien?

HUGO Eh bien, tant pis!

HOEDERER Tu vois! tu vois bien! Tu n'aimes pas les hommes, Hugo. Tu n'aimes que les principes.

HUGO Les hommes? Pourquoi les aimerais-je? Est-ce qu'ils m'aiment?

HOEDERER Alors pourquoi es-tu venu chez nous? Si on n'aime pas les hommes on ne peut pas lutter pour eux.

HUGO Je suis entré au Parti parce que sa cause est juste et j'en sortirai quand elle cessera de l'être. Quant aux hommes, ce n'est pas ce qu'ils sont qui m'intéresse mais ce qu'ils pourront devenir.

HOEDERER Et moi, je les aime pour ce qu'ils sont. Avec toutes leurs saloperies et tous leurs vices. J'aime leurs voix et leurs mains chaudes qui prennent et leur peau, la plus nue de toutes les peaux, et leur regard inquiet et la lutte désespérée qu'ils mènent chacun à son tour contre la mort et contre l'angoisse. Pour moi, ça compte un homme de plus ou de moins dans le monde. C'est précieux. Toi, je te connais bien, mon petit, tu es un destructeur. Les hommes, tu les détestes parce que tu te détestes toi-même; ta pureté ressemble à la mort et la Révolution dont tu rêves n'est pas la nôtre: tu ne veux pas changer le monde, tu veux le faire sauter.

HUGO (*s'est levé*) Hoederer!

HOEDERER Ce n'est pas ta faute: vous êtes tous pareils. Un intellectuel ça n'est pas un vrai révolutionnaire; c'est tout juste bon à faire un assassin.

HUGO Un assassin. Oui!

JESSICA Hugo!

(*Elle se met entre eux. Bruit de clé dans la serrure. La porte s'ouvre. Entrent Georges et Slick*)

## *SCÈNE IV*

*Les mêmes*, SLICK *et* GEORGES

GEORGES Te voilà. On te cherchait partout.

HUGO Qui vous a donné ma clé?

SLICK On a les clés de toutes les portes. Dis: des gardes du corps!

GEORGES (*à Hoederer*) Tu nous as flanqué la frousse. Il y a Slick qui se réveille: plus de Hoederer. Tu devrais prévenir quand tu vas prendre le frais.

HOEDERER Vous dormiez . . .

SLICK (*ahuri*) Et alors? Depuis quand nous laisses-tu dormir quand tu as envie de nous réveiller?

HOEDERER (*riant*) En effet, qu'est-ce qui m'a pris? (*Un temps*) Je vais rentrer avec vous. A demain, petit. A neuf heures. On reparlera de tout ça. (*Hugo ne répond pas*) Au revoir, Jessica.

JESSICA A demain, Hoederer.

(*Ils sortent*)

## *SCÈNE V*

JESSICA, HUGO

(*Un long silence*)

JESSICA Alors?

HUGO Eh bien, tu étais là et tu as entendu.

JESSICA Qu'est-ce que tu penses?

HUGO Que veux-tu que je pense? Je t'avais dit qu'il était chinois.

JESSICA Hugo! Il avait raison.

HUGO Ma pauvre Jessica! Qu'est-ce que tu peux en savoir?

JESSICA Et toi, qu'en sais-tu? Tu n'en menais pas large devant lui.

HUGO Parbleu! avec moi, il avait beau jeu. J'aurais voulu qu'il ait affaire à Louis; il ne s'en serait pas tiré si facilement.

JESSICA Peut-être qu'il l'aurait mis dans sa poche.

HUGO (*riant*) Ha! Louis? Tu ne le connais pas: Louis ne peut pas se tromper.

JESSICA Pourquoi?

HUGO Parce que. Parce que c'est Louis.

JESSICA Hugo! Tu parles contre ton cœur. Je t'ai regardé pendant que tu discutais avec Hoederer: il t'a convaincu.

HUGO Il ne m'a pas convaincu. Personne ne peut me convaincre qu'on doit mentir aux camarades. Mais s'il m'avait convaincu, ce serait une raison de plus pour le descendre parce que ça prouverait qu'il en convaincra d'autres. Demain matin, je finirai le travail.

*Rideau*

# Sixième Tableau

## LE BUREAU DE HOEDERER

*Les deux portants des fenêtres, arrachés, ont été rangés contre le mur, les éclats de verre ont été balayés, on a masqué la fenêtre par une couverture fixée avec des punaises, qui tombe jusqu'au sol.*

### *SCÈNE PREMIÈRE*

HOEDERER, *puis* JESSICA

*Au début de la scène, Hoederer debout devant le réchaud se fait du café en fumant la pipe. On frappe et Slick passe la tête par l'entre-bâillement de la porte.*

SLICK Il y a la petite qui veut vous voir.

HOEDERER Non.

SLICK Elle dit que c'est très important.

HOEDERER Bon. Qu'elle entre. (*Jessica entre, Slick disparaît*) Eh bien? (*Elle se tait*) Approche. (*Elle reste devant la porte avec tous ses cheveux dans la figure. Il va vers elle*) Je suppose que tu as quelque chose à me dire? (*Elle fait oui de la tête*) Eh bien, dis-le et puis va-t'en.

JESSICA Vous êtes toujours si pressé . . .

HOEDERER Je travaille.

JESSICA Vous ne travailliez pas: vous faisiez du café. Je peux en avoir une tasse?

HOEDERER Oui. (*Un temps*) Alors?

JESSICA Il faut me laisser un peu de temps. C'est si difficile de vous parler. Vous attendez Hugo et il n'a même pas commencé de se raser.

HOEDERER Bon. Tu as cinq minutes pour te reprendre. Et voilà du café.

JESSICA Parlez-moi.

HOEDERER Hein?

JESSICA Pour que je me reprenne. Parlez-moi.

HOEDERER Je n'ai rien à te dire et je ne sais pas parler aux femmes.

JESSICA Si. Très bien.

HOEDERER Ah?
(*Un temps*)

JESSICA Hier soir . . .

HOEDERER Eh bien?

JESSICA J'ai trouvé que c'était vous qui aviez raison.

HOEDERER Raison? Ah! (*Un temps*) Je te remercie, tu m'encourages.

JESSICA Vous vous moquez de moi.

HOEDERER Oui.
(*Un temps*)

JESSICA Qu'est-ce qu'on ferait de moi, si j'entrais au Parti?

HOEDERER Il faudrait d'abord qu'on t'y laisse entrer.

JESSICA Mais si on m'y laissait entrer, qu'est-ce qu'on ferait de moi?

HOEDERER Je me le demande. (*Un temps*) C'est ça que tu es venue me dire?

JESSICA Non.

HOEDERER Alors? Qu'est-ce qu'il y a? Tu t'es fâchée avec Hugo et tu veux t'en aller?

JESSICA Non. Ça vous ennuierait si je m'en allais?

HOEDERER Ça m'enchanterait. Je pourrais travailler tranquille.

JESSICA Vous ne pensez pas ce que vous dites.

HOEDERER Non?

JESSICA Non. (*Un temps*) Hier soir quand vous êtes entré vous aviez l'air tellement seul.

HOEDERER Et alors?

JESSICA C'est beau, un homme qui est seul.

HOEDERER Si beau qu'on a tout de suite envie de lui tenir compagnie. Et du coup il cesse d'être seul: le monde est mal fait.

JESSICA Oh! avec moi, vous pourriez très bien rester seul. Je ne suis pas embarrassante.

HOEDERER Avec toi?

JESSICA C'est une manière de parler. (*Un temps*) Vous avez été marié?

HOEDERER Oui.

JESSICA Avec une femme du Parti?

HOEDERER Non.

JESSICA Vous disiez qu'il fallait toujours se marier avec des femmes du Parti.

HOEDERER Justement.

JESSICA Elle était belle?

HOEDERER Ça dépendait des jours et des opinions.

JESSICA Et moi, est-ce que vous me trouvez belle?

HOEDERER Est-ce que tu te fous de moi?

JESSICA (*riant*) Oui.

HOEDERER Les cinq minutes sont passées. Parle ou va-t'en.

JESSICA Vous ne lui ferez pas de mal?

HOEDERER A qui?

JESSICA A Hugo! Vous avez de l'amitié pour lui, n'est-ce pas?

HOEDERER Ah! pas de sentiment! Il veut me tuer, hein? C'est ça ton histoire?

JESSICA Ne lui faites pas de mal.

HOEDERER Mais non, je ne lui ferai pas de mal.

JESSICA Vous . . . vous le saviez?

HOEDERER Depuis hier. Avec quoi veut-il me tuer?

JESSICA Comment?

HOEDERER Avec quelle arme? Grenade, revolver, hache d'abordage, sabre, poison?

JESSICA Revolver.

HOEDERER J'aime mieux ça.

JESSICA Quand il viendra ce matin, il aura son revolver sur lui.

HOEDERER Bon. Bon, bon. Pourquoi le trahis-tu? Tu lui en veux?

JESSICA Non. Mais . . .

HOEDERER Eh bien?

JESSICA Il m'a demandé mon aide.

HOEDERER Et c'est comme ça que tu t'y prends pour l'aider? Tu m'étonnes.

JESSICA Il n'a pas envie de vous tuer. Pas du tout. Il vous aime bien trop. Seulement il a des ordres. Il ne le dira pas mais je suis sûre qu'il sera content, au fond, qu'on l'empêche de les exécuter.

HOEDERER C'est à voir.

JESSICA Qu'est-ce que vous allez faire?

HOEDERER Je ne sais pas encore.

JESSICA Faites-le désarmer tout doucement par Slick. Il n'a qu'un revolver. Si on le lui prend, c'est fini.

HOEDERER Non. Ça l'humilierait. Il ne faut pas humilier les gens. Je lui parlerai.

JESSICA Vous allez le laisser entrer avec son arme?

HOEDERER Pourquoi pas? Je veux le convaincre. Il y a cinq minutes de risques, pas plus. S'il ne fait pas son coup ce matin, il ne le fera jamais.

JESSICA (*brusquement*) Je ne veux pas qu'il vous tue.

HOEDERER Ça t'embêterait si je me faisais descendre?

JESSICA Moi? Ça m'enchanterait.

(*On frappe*)

SLICK C'est Hugo.

HOEDERER Une seconde. (*Slick referme la porte*) File par la fenêtre.

JESSICA Je ne veux pas vous laisser.

HOEDERER Si tu restes, c'est sûr qu'il tire. Devant toi il ne se dégonflera pas. Allez, ouste!

(*Elle sort par la fenêtre et la couverture retombe sur elle*)

Faites-le entrer.

## *SCÈNE II*

HUGO, HOEDERER

*Hugo entre. Hoederer va jusqu'à la porte et accompagne Hugo ensuite jusqu'à sa table. Il restera tout près de lui, observant ses gestes en lui parlant et prêt à lui saisir le poignet si Hugo voulait prendre son revolver.*

HOEDERER Alors? Tu as bien dormi?

HUGO Comme ça.

HOEDERER La gueule de bois?

HUGO Salement.

HOEDERER Tu es bien décidé?

HUGO (*sursautant*) Décidé à quoi?

HOEDERER Tu m'avais dit hier soir que tu me quitterais si tu ne pouvais pas me faire changer d'avis.

HUGO Je suis toujours décidé.

HOEDERER Bon. Eh bien, nous verrons ça tout à l'heure. En attendant travaillons. Assieds-toi. (*Hugo s'assied à sa table de travail*) Où en étions-nous?

HUGO (*lisant ses notes*) D'après les chiffres du recensement professionnel, le nombre des travailleurs agricoles est tombé de huit millions sept cent soixante et onze mille en 1906 à . . .

HOEDERER Dis donc: sais-tu que c'est une femme qui a lancé le pétard?

HUGO Une femme?

HOEDERER Slick a relevé des empreintes sur une plate-bande. Tu la connais?

HUGO Comment la connaîtrais-je?

(*Un silence*)

HOEDERER C'est drôle, hein?

HUGO Très.

HOEDERER Tu n'as pas l'air de trouver ça drôle. Qu'est-ce que tu as?

HUGO Je suis malade.

HOEDERER Veux-tu que je te donne ta matinée?

HUGO Non. Travaillons.

HOEDERER Alors, reprends cette phrase.

(*Hugo reprend ses notes et recommence à lire*)

HUGO "D'après les chiffres du recensement . . ."

(*Hoederer se met à rire. Hugo lève la tête brusquement*)

HOEDERER Tu sais pourquoi elle nous a manqués? Je parie qu'elle a lancé son pétard en fermant les yeux.

HUGO (*distraitement*) Pourquoi?

HOEDERER A cause du bruit. Elles ferment les yeux pour ne pas entendre; explique ça comme tu pourras. Elles ont toutes peur du bruit, ces souris, sans ça elles feraient des tueuses remarquables. Elles sont butées, tu comprends: elles reçoivent les idées toutes faites, alors elles y croient comme au Bon Dieu. Nous autres, ça nous est moins commode de tirer sur un bonhomme pour des questions de principes parce que c'est nous qui faisons les idées et que nous connaissons la cuisine: nous ne sommes jamais tout à fait sûrs d'avoir raison. Tu es sûr d'avoir raison, toi?

HUGO Sûr.

HOEDERER De toute façon, tu ne pourrais pas faire un tueur. C'est une affaire de vocation.

HUGO N'importe qui peut tuer si le Parti le commande.

HOEDERER Si le Parti te commandait de danser sur une corde raide, tu crois que tu pourrais y arriver? On est tueur de naissance. Toi, tu réfléchis trop: tu ne pourrais pas.

HUGO Je pourrais si je l'avais décidé.

HOEDERER Tu pourrais me descendre froidement d'une balle entre les deux yeux parce que je ne suis pas de ton avis sur la politique?

HUGO Oui, si je l'avais décidé ou si le Parti me l'avait commandé.

HOEDERER Tu m'étonnes. (*Hugo va pour plonger la main dans sa poche mais Hoederer la lui saisit et l'élève légèrement au-dessus de la table*) Suppose que cette main tienne une arme et que ce doigt-là soit posé sur la gâchette . . .

HUGO Lâchez ma main.

HOEDERER (*sans le lâcher*) Suppose que je sois devant toi, exactement comme je suis et que tu me vises . . .

HUGO Lâchez-moi et travaillons.

HOEDERER Tu me regardes et, au moment de tirer, voilà que tu penses: "Si c'était lui qui avait raison?" Tu te rends compte?

HUGO Je n'y penserais pas. Je ne penserais à rien d'autre qu'à tuer.

HOEDERER Tu y penserais: un intellectuel, il faut que ça pense. Avant même de presser sur la gâchette tu aurais déjà vu toutes les conséquences possibles de ton acte: tout le travail d'une vie en ruine, une politique flanquée par terre, personne pour me remplacer, le Parti condamné peut-être à ne jamais prendre le pouvoir . . .

HUGO Je vous dis que je n'y penserais pas!

HOEDERER Tu ne pourrais pas t'en empêcher. Et ça vaudrait mieux parce que, tel que tu es fait, si tu n'y pensais pas *avant*, tu n'aurais pas trop de toute ta vie pour y penser *après*. (*Un temps*) Quelle rage avez-vous tous de jouer aux tueurs? Ce sont des types sans imagination: ça leur est égal de donner la mort parce qu'ils n'ont aucune idée de ce que c'est que la vie. Je préfère les gens qui ont peur de la mort des autres: c'est la preuve qu'ils savent vivre.

HUGO Je ne suis pas fait pour vivre, je ne sais pas ce que c'est que la vie et je n'ai pas besoin de le savoir. Je suis de trop, je n'ai pas ma place et je gêne tout le monde; personne ne m'aime, personne ne me fait confiance.

HOEDERER Moi, je te fais confiance.

HUGO Vous?

HOEDERER Bien sûr. Tu es un môme qui a de la peine à passer à l'âge d'homme mais tu feras un homme très acceptable si quelqu'un te facilite le passage. Si j'échappe à leurs pétards et à leurs bombes, je te garderai près de moi et je t'aiderai.

HUGO Pourquoi me le dire? Pourquoi me le dire aujourd'hui?

HOEDERER (*le lâchant*) Simplement pour te prouver qu'on ne peut pas buter un homme de sang-froid à moins d'être un spécialiste.

HUGO Si je l'ai décidé, je dois pouvoir le faire. (*Comme à lui-même, avec une sorte de désespoir*) Je *dois* pouvoir le faire.

HOEDERER Tu pourrais me tuer pendant que je te regarde? (*Ils se regardent. Hoederer se détache de la table et recule d'un pas*) Les vrais tueurs ne soupçonnent même pas ce qui se passe dans les têtes. Toi, tu le sais: pourrais-tu supporter ce qui se passerait dans la mienne si je te voyais me viser? (*Un temps. Il le regarde toujours*) Veux-tu du café? (*Hugo ne répond pas*) Il est prêt; je vais t'en donner une tasse. (*Il tourne le dos à Hugo et verse du café dans une tasse. Hugo se lève et met la main dans la poche qui contient le revolver. On voit qu'il lutte contre lui-même. Au bout d'un moment, Hoederer se retourne et revient tranquillement vers Hugo en portant une tasse pleine. Il la lui tend*) Prends. (*Hugo prend la tasse*) A présent donne-moi ton revolver. Allons, donne-le: tu vois bien que je t'ai laissé ta chance et que tu n'en as pas profité. (*Il plonge la main dans la poche de Hugo et la ressort avec le revolver*) Mais c'est un joujou!

(*Il va à son bureau et jette le revolver dessus*)

HUGO Je vous hais.

(*Hoederer revient vers lui*)

HOEDERER Mais non, tu ne me hais pas. Quelle raison aurais-tu de me haïr?

HUGO Vous me prenez pour un lâche.

HOEDERER Pourquoi? Tu ne sais pas tuer mais ça n'est pas une raison pour que tu ne saches pas mourir. Au contraire.

HUGO J'avais le doigt sur la gâchette.

HOEDERER Oui.

HUGO Et je . . .

(*Geste d'impuissance*)

HOEDERER Oui. Je te l'ai dit: c'est plus dur qu'on ne pense.

HUGO Je savais que vous me tourniez le dos exprès. C'est pour ça que . . .

HOEDERER Oh! de toute façon . . .

HUGO Je ne suis pas un traître!

HOEDERER Qui te parle de ça? La trahison aussi, c'est une affaire de vocation.

HUGO Eux, ils penseront que je suis un traître parce que je n'ai pas fait ce qu'ils m'avaient chargé de faire.

HOEDERER Qui, eux? (*Silence*) C'est Louis qui t'a envoyé? (*Silence*) Tu ne veux rien dire: c'est régulier. (*Un temps*) Écoute: ton sort est lié au mien. Depuis hier, j'ai des atouts dans mon jeu et je vais essayer de sauver nos deux peaux ensemble. Demain j'irai à la ville et je parlerai à Louis. Il est coriace mais je le suis aussi. Avec tes copains, ça s'arrangera. Le plus difficile, c'est de t'arranger avec toi-même.

HUGO Difficile? Ça sera vite fait. Vous n'avez qu'à me rendre le revolver.

HOEDERER Non.

HUGO Qu'est-ce que ça peut vous faire que je me flanque une balle dans la peau? Je suis votre ennemi.

HOEDERER D'abord, tu n'es pas mon ennemi. Et puis tu peux encore servir.

HUGO Vous savez bien que je suis foutu.

HOEDERER Que d'histoires! Tu as voulu te prouver que tu étais capable d'agir et tu as choisi les chemins difficiles: comme quand on veut mériter le ciel; c'est de ton âge. Tu n'as pas réussi: bon, et après? Il n'y a rien à prouver, tu sais, la Révolution n'est pas une question de mérite mais d'efficacité; et il n'y a pas de ciel. Il y a du travail à faire, c'est tout. Et il faut faire celui pour lequel on est doué: tant mieux s'il est facile. Le meilleur travail n'est pas celui qui te coûtera le plus; c'est celui que tu réussiras le mieux.

HUGO Je ne suis doué pour rien.

HOEDERER Tu es doué pour écrire.

HUGO Pour écrire! Des mots! Toujours des mots!

HOEDERER Eh bien quoi? Il faut gagner. Mieux vaut un bon journaliste qu'un mauvais assassin.

HUGO (*hésitant mais avec une sorte de confiance*) Hoederer! Quand vous aviez mon âge . . .

HOEDERER Eh bien?

HUGO Qu'est-ce que vous auriez fait à ma place?

HOEDERER Moi? J'aurais tiré. Mais ce n'est pas ce que j'aurais pu faire de mieux. Et puis nous ne sommes pas de la même espèce.

HUGO Je voudrais être de la vôtre: on doit se sentir bien dans sa peau.

HOEDERER Tu crois? (*Un rire bref*) Un jour, je te parlerai de moi.

HUGO Un jour? (*Un temps*) Hoederer, j'ai manqué mon coup et je sais à présent que je ne pourrai jamais tirer sur vous parce que . . . parce que je tiens à vous. Mais il ne faut pas vous y tromper: sur ce que nous avons discuté hier soir je ne serai jamais d'accord avec vous, je ne serai jamais des vôtres et je ne veux pas que vous me défendiez. Ni demain ni un autre jour.

HOEDERER Comme tu voudras.

HUGO A présent, je vous demande la permission de vous quitter. Je veux réfléchir à toute cette histoire.

HOEDERER Tu me jures que tu ne feras pas de bêtises avant de m'avoir revu?

HUGO Si vous voulez.

HOEDERER Alors, va. Va prendre l'air et reviens dès que tu pourras. Et n'oublie pas que tu es mon secrétaire. Tant que tu ne m'auras pas buté ou que je ne t'aurai pas congédié, tu travailleras pour moi.

(*Hugo sort*)

HOEDERER (*va à la porte*) Slick!

SLICK Eh?

HOEDERER Le petit a des ennuis. Surveillez-le de loin et, si c'est nécessaire, empêchez-le de se flanquer en l'air. Mais doucement. Et s'il veut revenir ici tout à l'heure, ne l'arrêtez pas au passage sous prétexte de l'annoncer. Qu'il aille et vienne comme ça lui chante: il ne faut surtout pas l'énerver.

(*Il referme la porte, retourne à la table qui supporte le réchaud et se verse une tasse de café. Jessica écarte la couverture qui dissimule la fenêtre et paraît*)

## *SCÈNE III*

JESSICA, HOEDERER

HOEDERER C'est encore toi, poison? Qu'est-ce que tu veux?

JESSICA J'étais assise sur le rebord de la fenêtre et j'ai tout entendu.

HOEDERER Après?

JESSICA J'ai eu peur.

HOEDERER Tu n'avais qu'à t'en aller.

JESSICA Je ne pouvais pas vous laisser.

HOEDERER Tu n'aurais pas été d'un grand secours.

JESSICA Je sais. (*Un temps*) J'aurais peut-être pu me jeter devant vous et recevoir les balles à votre place.

HOEDERER Que tu es romanesque!

JESSICA Vous aussi.

HOEDERER Quoi?

JESSICA Vous aussi, vous êtes romanesque: pour ne pas l'humilier, vous avez risqué votre peau.

HOEDERER Si on veut en connaître le prix, il faut la risquer de temps en temps.

JESSICA Vous lui proposiez votre aide et il ne voulait pas l'accepter et vous ne vous découragiez pas et vous aviez l'air de l'aimer.

HOEDERER Après?

JESSICA Rien. C'était comme ça, voilà tout.

(*Ils se regardent*)

HOEDERER Va-t'en! (*Elle ne bouge pas*) Jessica, je n'ai pas l'habitude de refuser ce qu'on m'offre et voilà six mois que je n'ai pas touché à une femme. Il est encore temps de t'en aller mais dans cinq minutes il sera trop tard. Tu m'entends? (*Elle ne bouge pas*) Ce petit n'a que toi au monde et il va au-devant des pires embêtements. Il a besoin de quelqu'un qui lui rende courage.

JESSICA Vous, vous pouvez lui rendre courage. Pas moi. Nous ne nous faisons que du mal.

HOEDERER Vous vous aimez.

JESSICA Même pas. On se ressemble trop.

(*Un temps*)

HOEDERER Quand est-ce arrivé?

JESSICA Quoi?

HOEDERER (*geste*) Tout ça. Tout ça, dans ta tête?

JESSICA Je ne sais pas. Hier, je pense, quand vous m'avez regardée et que vous aviez l'air d'être seul.

HOEDERER Si j'avais su . . .

JESSICA Vous ne seriez pas venu?

HOEDERER Je . . . (*Il la regarde et hausse les épaules. Un temps*) Mais bon Dieu! si tu as du vague à l'âme, Slick et Léon sont là pour te distraire. Pourquoi m'as-tu choisi?

JESSICA Je n'ai pas de vague à l'âme et je n'ai choisi personne. Je n'ai pas eu besoin de choisir.

HOEDERER Tu m'embêtes. (*Un temps*) Mais qu'attends-tu? Je n'ai pas le temps de m'occuper de toi; tu ne veux pourtant pas que je te renverse sur ce divan et que je t'abandonne ensuite.

JESSICA Décidez.

HOEDERER Tu devrais pourtant savoir . . .

JESSICA Je ne sais rien, je ne suis ni femme ni fille, j'ai vécu dans un songe et quand on m'embrassait ça me donnait envie de rire. A présent je suis là devant vous, il me semble que je viens de me réveiller et que c'est le matin. Vous êtes vrai. Un vrai homme de chair et d'os, j'ai vraiment peur de vous et je crois que je vous aime pour de vrai. Faites de moi ce que vous voudrez: quoi qu'il arrive, je ne vous reprocherai rien.

HOEDERER Ça te donne envie de rire quand on t'embrasse? (*Jessica gênée baisse la tête*) Hein?

JESSICA Oui.

HOEDERER Alors, tu es froide?

JESSICA C'est ce qu'ils disent.

HOEDERER Et toi, qu'en penses-tu?

JESSICA Je ne sais pas.

HOEDERER Voyons. (*Il l'embrasse*) Eh bien?

JESSICA Ça ne m'a pas donné envie de rire.

(*La porte s'ouvre. Hugo entre*)

## SCÈNE IV

HOEDERER, HUGO, JESSICA

HUGO C'était donc ça?

HOEDERER Hugo . . .

HUGO Ça va. (*Un temps*) Voilà donc pourquoi vous m'avez épargné. Je me demandais: pourquoi ne m'a-t-il pas fait abattre ou chasser par ses hommes? Je me disais: ça n'est pas possible qu'il soit si fou ou si généreux. Mais tout s'explique: c'était à cause de ma femme. J'aime mieux ça.

JESSICA Écoute . . .

HUGO Laisse donc, Jessica, laisse tomber. Je ne t'en veux pas et je ne suis pas jaloux; nous ne nous aimions pas. Mais lui, il a bien failli me prendre à son piège. " Je t'aiderai, je te ferai passer à l'âge d'homme." Que j'étais bête! Il se foutait de moi.

HOEDERER Hugo, veux-tu que je te donne ma parole que . . .

HUGO Mais ne vous excusez pas. Je vous remercie au contraire: une fois au moins vous m'aurez donné le plaisir de vous voir déconcerté. Et puis . . . et puis . . . (*Il bondit jusqu'au bureau, prend le revolver et le braque sur Hoederer*) Et puis vous m'avez délivré.

JESSICA (*criant*) Hugo!

HUGO Vous voyez, Hoederer, je vous regarde dans les yeux et je vise et ma main ne tremble pas et je me fous de ce que vous avez dans la tête.

HOEDERER Attends, petit! Ne fais pas de bêtises. Pas pour une femme!

(*Hugo tire trois coups. Jessica se met à hurler. Slick et Georges entrent dans la pièce*)

HOEDERER Imbécile. Tu as tout gâché.

SLICK Salaud!

(*Il tire son revolver*)

HOEDERER Ne lui faites pas de mal. (*Il tombe dans un fauteuil*) Il a tiré par jalousie.

SLICK Qu'est-ce que ça veut dire?

HOEDERER Je couchais avec la petite. (*Un temps*) Ah! c'est trop con!

(*Il meurt*)

*Rideau*

# Septième Tableau

## DANS LA CHAMBRE D'OLGA

### *SCÈNE UNIQUE*

***On entend d'abord leurs voix dans la nuit et puis la lumière se fait peu à peu.***

OLGA Est-ce que c'était vrai? Est-ce que tu l'as vraiment tué à cause de Jessica?

HUGO Je . . . je l'ai tué parce que j'avais ouvert la porte. C'est tout ce que je sais. Si je n'avais pas ouvert cette porte . . . Il était là, il tenait Jessica dans ses bras, il avait du rouge à lèvres sur le menton. C'était trivial. Moi, je vivais depuis longtemps dans la tragédie. C'est pour sauver la tragédie que j'ai tiré.

OLGA Est-ce que tu n'étais pas jaloux?

HUGO Jaloux? Peut-être. Mais pas de Jessica.

OLGA Regarde-moi et réponds-moi sincèrement car ce que je vais te demander a beaucoup d'importance. As-tu l'orgueil de ton acte? Est-ce que tu le revendiques? Le referais-tu, s'il était à refaire?

HUGO Est-ce que je l'ai seulement fait? Ce n'est pas moi qui ai tué, c'est le hasard. Si j'avais ouvert la porte deux minutes plus tôt ou deux minutes plus tard, je ne les aurais pas surpris dans les bras l'un de l'autre, je n'aurais pas tiré. (*Un temps*) Je venais pour lui dire que j'acceptais son aide.

OLGA Oui.

HUGO Le hasard a tiré trois coups de feu, comme dans les mauvais romans policiers. Avec le hasard tu peux commencer les "si":

"*si* j'étais resté un peu plus longtemps devant les châtaigniers, *si* j'avais poussé jusqu'au bout du jardin, *si* j'étais rentré dans le pavillon . . ." Mais moi. *Moi*, là-dedans, qu'est-ce que je deviens? C'est un assassinat sans assassin. (*Un temps*) Souvent, dans la prison, je me demandais: qu'est-ce qu'Olga me dirait, si elle était ici? Qu'est-ce qu'elle voudrait que je pense?

OLGA (*sèchement*) Et alors?

HUGO Oh, je sais très bien ce que tu m'aurais dit. Tu m'aurais dit: "Sois modeste, Hugo. Tes raisons, tes motifs, on s'en moque. Nous t'avions demandé de tuer cet homme et tu l'as tué. C'est le résultat qui compte." Je . . . je ne suis pas modeste, Olga. Je n'arrivais pas à séparer le meurtre de ses motifs.

OLGA J'aime mieux ça.

HUGO Comment, tu aimes mieux ça? C'est toi qui parles, Olga? Toi qui m'as toujours dit . . .

OLGA Je t'expliquerai. Quelle heure est-il?

HUGO (*regardant son bracelet-montre*) Minuit moins vingt.

OLGA Bien. Nous avons le temps. Qu'est-ce que tu me disais? Que tu ne comprenais pas ton acte.

HUGO Je crois plutôt que je le comprends trop. C'est une boîte qu'ouvrent toutes les clés. Tiens, je peux me dire tout aussi bien, si ça me chante, que j'ai tué par passion politique et que la fureur qui m'a pris, quand j'ai ouvert la porte, n'était que la petite secousse qui m'a facilité l'exécution.

OLGA (*le dévisageant avec inquiétude*) Tu crois, Hugo? Tu crois *vraiment* que tu as tiré pour de *bons* motifs?

HUGO Olga, je crois tout. J'en suis à me demander si je l'ai tué pour de vrai.

OLGA Pour de vrai?

HUGO Si tout était une comédie?

OLGA Tu as vraiment appuyé sur la gâchette.

HUGO Oui. J'ai vraiment remué le doigt. Les acteurs aussi remuent les doigts, sur les planches. Tiens, regarde: je remue l'index, je te vise. (*Il la vise de la main droite, l'index replié*)

C'est le même geste. Peut-être que ce n'est pas moi qui étais vrai. Peut-être c'était seulement la balle. Pourquoi souris-tu?

OLGA Parce que tu me facilites beaucoup les choses.

HUGO Je me trouvais trop jeune; j'ai voulu m'attacher un crime au cou, comme une pierre. Et j'avais peur qu'il ne soit lourd à supporter. Quelle erreur: il est léger, horriblement léger. Il ne pèse pas. Regarde-moi: j'ai vieilli, j'ai passé deux ans en taule, je me suis séparé de Jessica et je mènerai cette drôle de vie perplexe jusqu'à ce que les copains se chargent de me libérer. Tout ça vient de mon crime, non? Et pourtant il ne pèse pas, je ne le sens pas. Ni à mon cou, ni sur mes épaules, ni dans mon cœur. Il est devenu mon destin, comprends-tu, il gouverne ma vie du dehors mais je ne peux ni le voir, ni le toucher, il n'est pas à moi, c'est une maladie mortelle qui tue sans faire souffrir. Où est-il? Existe-t-il? J'ai tiré pourtant. La porte s'est ouverte . . . J'aimais Hoederer, Olga. Je l'aimais plus que je n'ai aimé personne au monde. J'aimais le voir et l'entendre, j'aimais ses mains et son visage et, quand j'étais avec lui, tous mes orages s'apaisaient. Ce n'est pas mon crime qui me tue, c'est sa mort. (*Un temps*) Enfin voilà. Rien n'est arrivé. Rien. J'ai passé dix jours à la campagne et deux ans en prison; je n'ai pas changé; je suis toujours aussi bavard. Les assassins devraient porter un signe distinctif. Un coquelicot à la boutonnière. (*Un temps*) Bon. Alors? Conclusion?

OLGA Tu vas rentrer au Parti.

HUGO Bon.

OLGA A minuit, Louis et Charles doivent revenir pour t'abattre. Je ne leur ouvrirai pas. Je leur dirai que tu es récupérable.

HUGO (*il rit*) Récupérable! Quel drôle de mot. Ça se dit des ordures, n'est-ce pas?

OLGA Tu es d'accord?

HUGO Pourquoi pas?

OLGA Demain tu recevras de nouvelles consignes.

HUGO Bien.

OLGA Ouf!
(*Elle se laisse tomber sur une chaise*)

HUGO Qu'est-ce que tu as?

OLGA Je suis contente. (*Un temps*) Tu as parlé trois heures et j'ai eu peur tout le temps.

HUGO Peur de quoi?

OLGA De ce que je serais obligée de leur dire. Mais tout va bien. Tu reviendras parmi nous et tu vas faire du travail d'homme.

HUGO Tu m'aideras comme autrefois?

OLGA Oui, Hugo. Je t'aiderai.

HUGO Je t'aime bien, Olga. Tu es restée la même. Si pure, si nette. C'est toi qui m'as appris la pureté.

OLGA J'ai vieilli?

HUGO Non.
(*Il lui prend la main*)

OLGA J'ai pensé à toi tous les jours.

HUGO Dis, Olga!

OLGA Eh bien?

HUGO Le colis, ce n'est pas toi?

OLGA Quel colis?

HUGO Les chocolats.

OLGA Non. Ce n'est pas moi. Mais je savais qu'ils allaient l'envoyer.

HUGO Et tu les as laissés faire?

OLGA Oui.

HUGO Mais qu'est-ce que tu pensais en toi-même?

OLGA (*montrant ses cheveux*) Regarde.

HUGO Qu'est-ce que c'est? Des cheveux blancs?

OLGA Ils sont venus en une nuit. Tu ne me quitteras plus. Et s'il y a des coups durs, nous les supporterons ensemble.

HUGO (*souriant*) Tu te rappelles: Raskolnikoff.

OLGA (*sursautant*) Raskolnikoff?

HUGO C'est le nom que tu m'avais choisi pour la clandestinité. Oh, Olga, tu ne te rappelles plus.

OLGA Si. Je me rappelle.

HUGO Je vais le reprendre.

OLGA Non.

HUGO Pourquoi? Je l'aimais bien. Tu disais qu'il m'allait comme un gant.

OLGA Tu es trop connu sous ce nom-là.

HUGO Connu? Par qui?

OLGA (*soudain lasse*) Quelle heure est-il?

HUGO Moins cinq.

OLGA Écoute, Hugo. Et ne m'interromps pas. J'ai encore quelque chose à te dire. Presque rien. Il ne faut pas y attacher d'importance. Tu . . . tu seras étonné d'abord mais tu comprendras peu à peu.

HUGO Oui?

OLGA Je . . . je suis heureuse de ce que tu m'as dit, à propos de ton . . . de ton acte. Si tu en avais été fier ou simplement satisfait, ça t'aurait été plus difficile.

HUGO Difficile? Difficile de quoi faire?

OLGA De l'oublier.

HUGO De l'oublier? Mais Olga . . .

OLGA Hugo! Il faut que tu l'oublies. Je ne te demande pas grand-chose; tu l'as dit toi-même: tu ne sais ni ce que tu as fait ni pourquoi tu l'as fait. Tu n'es même pas sûr d'avoir tué Hoederer. Eh bien, tu es dans le bon chemin; il faut aller plus loin, voilà tout. Oublie-le; c'était un cauchemar. N'en parle plus jamais; même à moi. Ce type qui a tué Hoederer est mort. Il s'appelait Raskolnikoff; il a été empoisonné par des chocolats aux liqueurs. (*Elle lui caresse les cheveux*) Je te choisirai un autre nom.

HUGO Qu'est-ce qui est arrivé, Olga? Qu'est-ce que vous avez fait?

OLGA Le Parti a changé sa politique. (*Hugo la regarde fixement*) Ne me regarde pas comme ça. Essaye de comprendre. Quand nous t'avons envoyé chez Hoederer, les communications avec l'U.R.S.S. étaient interrompues. Nous devions choisir seuls notre ligne. Ne me regarde pas comme ça, Hugo! Ne me regarde pas comme ça.

HUGO Après?

OLGA Depuis, les liaisons sont rétablies. L'hiver dernier l'U.R.S.S. nous a fait savoir qu'elle souhaitait, pour des raisons purement militaires, que nous nous rapprochions du Régent.

HUGO Et vous . . . vous avez obéi?

OLGA Oui. Nous avons constitué un comité clandestin de six membres avec les gens du gouvernement et ceux du Pentagone.

HUGO Six membres. Et vous avez trois voix?

OLGA Oui. Comment le sais-tu?

HUGO Une idée. Continue.

OLGA Depuis ce moment les troupes ne se sont pratiquement plus mêlées des opérations. Nous avons peut-être économisé cent mille vies humaines. Seulement, du coup les Allemands ont envahi le pays.

HUGO Parfait. Je suppose que les Soviets vous ont aussi fait entendre qu'ils ne souhaitaient pas donner le pouvoir au seul Parti Prolétarien; qu'ils auraient des ennuis avec les Alliés et que, d'ailleurs, vous seriez rapidement balayés par une insurrection?

OLGA Mais . . .

HUGO Il me semble que j'ai déjà entendu tout cela. Alors, Hoederer?

OLGA Sa tentative était prématurée et il n'était pas l'homme qui convenait pour mener cette politique.

HUGO Il fallait donc le tuer: c'est lumineux. Mais je suppose que vous avez réhabilité sa mémoire?

OLGA Il fallait bien.

HUGO Il aura sa statue à la fin de la guerre, il aura des rues dans toutes nos villes et son nom dans les livres d'histoire. Ça me fait plaisir pour lui. Son assassin, qui est-ce que c'était? Un type aux gages de l'Allemagne?

OLGA Hugo . . .

HUGO Réponds.

OLGA Les camarades savaient que tu étais de chez nous. Ils n'ont jamais cru au crime passionnel. Alors on leur a expliqué . . . ce qu'on a pu.

HUGO Vous avez menti aux camarades.

OLGA Menti, non. Mais nous . . . nous sommes en guerre, Hugo. On ne peut pas dire toute la vérité aux troupes.

(*Hugo éclate de rire*)

OLGA Qu'est-ce que tu as! Hugo! Hugo!

(*Hugo se laisse tomber dans un fauteuil en riant aux larmes*)

HUGO Tout ce qu'il disait! Tout ce qu'il disait! C'est une farce.

OLGA Hugo!

HUGO Attends, Olga, laisse-moi rire. Il y a dix ans que je n'ai pas ri aussi fort. Voilà un crime embarrassant: personne n'en veut. Je ne sais pas pourquoi je l'ai fait et vous ne savez qu'en faire. (*Il la regarde*) Vous êtes pareils.

OLGA Hugo, je t'en prie . . .

HUGO Pareils. Hoederer, Louis, toi, vous êtes de la même espèce. De la *bonne* espèce. Celle des durs, des conquérants, des chefs. Il n'y a que moi qui me suis trompé de porte.

OLGA Hugo, tu aimais Hoederer?

HUGO Je crois que je ne l'ai jamais tant aimé qu'à cette minute.

OLGA Alors il faut nous aider à poursuivre son œuvre. (*Il la regarde. Elle recule*) Hugo!

HUGO (*doucement*) N'aie pas peur, Olga. Je ne te ferai pas de mal. Seulement il faut te taire. Une minute, juste une minute pour que je mette mes idées en ordre. Bon. Alors, moi, je suis récupérable. Parfait. Mais tout seul, tout nu, sans bagages. A la condition de changer de peau – et si je pouvais devenir amnésique, ça serait encore mieux. Le crime, on ne le récupère pas, hein? C'était une erreur sans importance. On le laisse où il est, dans la poubelle. Quant à moi, je change de nom dès demain, je m'appellerai Julien Sorel ou Rastignac ou Muichkine et je travaillerai la main dans la main avec les types du Pentagone.

OLGA Je vais . . .

HUGO Tais-toi, Olga. Je t'en supplie, ne dis pas un mot. (*Il réfléchit un moment*) C'est non.

OLGA Quoi?

HUGO C'est non. Je ne travaillerai pas avec vous.

OLGA Hugo, tu n'as donc pas compris. Il vont venir avec leurs revolvers . . .

HUGO Je sais. Ils sont même en retard.

OLGA Tu ne vas pas te laisser tuer comme un chien. Tu ne vas pas accepter de mourir pour rien! Nous te ferons confiance, Hugo. Tu verras, tu seras pour de bon notre camarade, tu as fait tes preuves . . .

(*Une auto. Bruit de moteur*)

HUGO Les voilà.

OLGA Hugo, ce serait criminel! Le Parti . . .

HUGO Pas de grands mots, Olga. Il y a eu trop de grands mots dans cette histoire et ils ont fait beaucoup de mal. (*L'auto passe*) Ce n'est pas leur voiture. J'ai le temps de t'expliquer. Écoute: Je ne sais pas pourquoi j'ai tué Hoederer mais je sais pourquoi j'aurais dû le tuer: parce qu'il faisait de mauvaise politique, parce qu'il mentait à ses camarades et parce qu'il risquait de pourrir le Parti. Si j'avais eu le courage de tirer quand j'étais seul avec lui dans le bureau, il serait mort à cause de cela et je pourrais penser à moi sans honte. J'ai honte de moi parce que je l'ai tué . . . après. Et vous, vous me demandez d'avoir encore plus honte et de décider que je l'ai tué pour rien. Olga, ce que je pensais sur la politique de Hoederer je continue à le penser. Quand j'étais en prison, je croyais que vous étiez d'accord avec moi et ça me soutenait; je sais à présent que je suis seul de mon opinion mais je ne changerai pas d'avis.

(*Bruit de moteur*)

OLGA Cette fois les voilà. Écoute, je ne peux pas . . . prends ce revolver, sors par la porte de ma chambre et tente ta chance.

HUGO (*sans prendre le revolver*) Vous avez fait de Hoederer un grand homme. Mais je l'ai aimé plus que vous ne l'aimerez jamais. Si je reniais mon acte, il deviendrait un cadavre anonyme, un déchet du Parti. (*L'auto s'arrête*) Tué par hasard. Tué pour une femme.

OLGA Va-t'en.

HUGO Un type comme Hoederer ne meurt pas par hasard. Il meurt pour ses idées, pour sa politique; il est responsable de sa mort. Si je revendique mon crime devant tous, si je réclame mon nom de Raskolnikoff et si j'accepte de payer le prix qu'il faut, alors il aura eu la mort qui lui convient.

(*On frappe à la porte*)

OLGA Hugo, je . . .

HUGO (*marchant vers la porte*) Je n'ai pas encore tué Hoederer, Olga. Pas encore. C'est à présent que je vais le tuer, et moi avec.

(*On frappe de nouveau*)

OLGA (*criant*) Allez-vous-en! Allez-vous-en!

(*Hugo ouvre la porte d'un coup de pied*)

HUGO (*il crie*) Non récupérable.

*Rideau*

# Notes

## FIRST TABLEAU

**p. 29, l. 3.** The scene is Olga's living-room in a small house near a main road. There are two doors, one leading directly outside, the other to the bedroom. There is a window with closed shutters and a telephone standing on a chest-of-drawers (*une commode*). The furniture is nondescript and cheap – a sign of its owner's indifference to her material surroundings. The noise of passing traffic, including the sound of motor-horns, is heard intermittently from outside.

*Scene 1*

**p. 29, l. 14. Brouillage,** "Jamming". This indicates that she has tuned in to a foreign or clandestine station which the authorities of her own country are trying to jam.

**l. 15. Speaker,** "Announcer". The gist of his message is: "The German armies, whom you (the Illyrians) have been forced to help until now, are in full retreat. The Russian troops are approaching. Do not oppose them."

**p. 30, l. 9. en se rejetant vivement en arrière.** Having opened the door, she jumps back, holding her revolver concealed under a towel or cloth.

**l. 10. Un grand garçon,** "A tall young man".

**l. 14. C'est ta tête.** Not "head", but "face" or "facial expression". Cp. "*Quelle drôle de tête tu fais*", "What an odd expression you've got".

**l. 18. Je croyais que tu en avais pour cinq ans,** "I thought you got five years" – as a prison sentence, as is soon evident. Five years have not passed yet, hence Olga's next question: **"Évadé?"**: "Escaped?"

**l. 22. il s'en faut de peu,** "there is not much in it". She is not pointing the revolver *quite* directly at him.

**l. 29. Tu aimerais, hein?** "You'd like that, wouldn't you?" Normal colloquial French.

p. 31, l. 9. **Là-bas,** i.e., in prison. His cell was cramped.

l. 22. **Olga se détend un peu,** "Olga relaxes a little."

l. 25. **Mais ils ont coupé ta mèche,** "But they've cut off your lock of hair" – the lock which fell over his forehead, and which he has in the long flash-back beginning in the Second Tableau.

l. 28. **Klaxon,** "electric horn." A particular make, but also the general word.

p. 32, l. 4. **Je m'en doutais,** "I thought as much"/"I suspected that." (*S'en douter.*)

l. 12. **Il y a des nouveaux chez vous?** "Are there any new people in your lot?" Equivalent to asking: "Are there any new members in your section?" – but the habit of underground conspiracy leads Hugo to use unspecific language.

l. 15. **Pas mal de jeunes.** Colloquial. "Quite a few young ones." . . . **Des vides à combler,** "Gaps to be filled."

l. 19. **Mais pour l'essentiel, c'est la même ligne?** "But in essentials, the (Party) line's the same?" The significance of this key question and of Olga's embarrassed reply transpires much later.

l. 22. **Il y a quelqu'un dans ta vie?** "Is there anyone (any man) in your life?"

l. 32. **il s'en est bien tiré, il a fait sa besogne proprement,** "he managed things nicely, he did his job well." The "job" was to kill Hoederer.

p. 33, l. 2. **Quelquefois, la pluie me réveillait,** etc. Hugo is recalling his thoughts when in prison.

l. 8. **il en a encore pour trois ans,** "he still has three years to do." See note to p. 30, l. 18.

l. 10. **on l'abattra comme un chien,** "he'll be put down like a dog – an unwanted dog."

l. 25. **Le pauvre type s'en est très mal trouvé, très mal,** "The poor fellow was very ill, very." The implication is that he died, or nearly died.

l. 28. **Après?** Also *Et après?* and *Et alors?* Challenging phrases corresponding to "Well, go on," or "Well, what of it?" or to the slightly dated, "So what?"

p. 34, l. 3. **Je ne te le fais pas dire.** *Lit.* "*I'm* not making you say it." The usual phrase for, "You don't have to tell me." . . . **J'en sais trop long,** "I know too much about things."

**p. 34, l. 18. même si l'on devait te descendre.** *Te descendre* (*lit.* "to bring you down") is semi-slang for "to kill you."

**l. 27. Tu vois bien que c'est vrai.** He means that it is true that the Party intends to have him killed.

**l. 29. Non . . . "Je ferai ce que le Parti me commandera,"** etc. This speech sums up Hugo's own problem. In fact, it poses in advance the main psychological problem of the play. Why had Hugo killed Hoederer?

**p. 35, l. 9. Jessica.** Hugo's wife, who first appears in the Third Tableau.

**l. 14. Dans ta chambre,** "Bedroom."

**l. 20. La seconde photo m'a donné du fil à retordre,** "The second photo gave me some headaches." (He couldn't remember whom it represented.) This usual phrase means literally, "Thread to ravel up again." Logically, one might expect "*fil à détordre*" (unravel), but language is not always logical.

**l. 24. Claquement de portière.** A car door slams.

**l. 29. Alors?** See note to p. 33, l. 28.

*Scene 2*

**p. 36, l. 5. sa sortie de taule.** *Taule:* slang word for "prison."

**l. 17. Le petit est là pour nettoyer,** "The youngster's here to clean up," i.e., remove the body and any other traces.

**l. 20. Laisse-moi faire mon boulot,** "Let me get on with my job." The job is to kill Hugo. Earlier (p. 32, l. 32) Hugo used the word *besogne* of a similar "job". *Boulot* is a more popular word, suitable to a less educated man.

*Scene 3*

**p. 37, l. 2.** Frantz re-enters with Louis, one of the Party leaders. His importance becomes apparent in the Second Tableau.

**l. 3. Qu'est-ce qui te prend?** "What's come over you?" Usual phrase.

**l. 12. Ne fais pas l'enfant.** *Lit.* "Don't act the child." Don't pretend to be so innocent.

**l. 24. récupérable,** "recoverable, worth salvaging."

**l. 27. quand ça lui chantait,** "when he felt like it." Colloquial.

**l. 30. pour camoufler un assassinat politique en crime passionnel,** "to disguise a political assassination as a crime provoked by sexual jealousy." For *crime passionnel*, see Introduction, p. 12.

**p. 38, l. 20. Bien encadré.** She is using the word approximately in its military sense, "properly officered." The same idea is repeated two lines lower in **bien dirigé,** "properly led."

**l. 22. homme de main,** "handyman" – for any work, however dirty.

**p. 39, l. 3. Qu'ils restent en faction,** "Let them stay on guard."

*Scene 4*

**l. 14. Tu fais une drôle de tête,** "You're looking pretty queer." See also note to p. 30, l. 14.

**l. 28. en taule,** "in prison". Cp. p. 36, l. 5.

**p. 40, l. 4. avec leurs joujoux,** "with those toys of theirs". He means, sarcastically, their guns.

**l. 6. Tu as obtenu ça?** Usual French for, "You got them to agree to that?" Cp. "*Je n'ai rien obtenu de lui*", "I couldn't get him to agree to anything, couldn't get any concession from him".

**l. 16. Il s'agit que je te change?** "It's up to me to change you?" It will have been deduced from the previous dialogue, as well, of course, as from the behaviour of the actors on the stage, that Hugo was once Olga's lover. He now, rather mockingly, offers to make love to her again. But it is not emotional persuasion which Olga requires.

**p. 41, l. 3. C'est vrai qu'il tournait autour de Jessica?** "Is it true that he was running after Jessica?" The French metaphor is somewhat more realistic.

**l. 14. elle se tient à peu près,** "it holds together more or less" . . . **tout fout le camp,** "everything disappears", i.e., "gets blurred".

SECOND TABLEAU

**p. 42, l. 2.** This begins the long flash-back, which lasts to the end of Tableau 6. To begin with, the scene is still Olga's room. The sound of voices off-stage indicates that a discussion is taking place in Olga's bedroom, of which the door is back-stage right from the point of view of the audience (*côté cour*).

*Scene* 1

**p. 42, l. 8. Hugo tape à la machine,** "Hugo is typing".

**l. 16. Ben non . . . Tu peux pas . . .** for *Eh bien, non . . . Tu ne peux pas . . .* Ivan's speech is popular – equivalent, say, to Cockney English.

**l. 21. Raskolnikoff,** i.e., Raskolnikov, the tormented, introspective young hero of Dostoyevsky's novel, *Crime and Punishment.* It is characteristic of Hugo to have chosen such a pseudonym.

**l. 22. Tu parles d'un nom.** Popular speech again: "That's a name for you!" . . .

**l. 24. Où c'est que tu l'as pêché?** "Where did you get hold of it (fish it up)?"

**p. 43, l. 12. Qu'est-ce qu'ils fabriquent les gars, là-dedans?** "What are the boys cooking up in there?" *Fabriquer* often has this sense in popular speech.

**l. 26. la B.B.C. ou la Radio Soviétique.** Naturally important during the war as independent sources of news in German-occupied countries.

**l. 29. Je ne dis pas.** Familiar for *Je ne dis pas non,* or *Je ne dis pas que tu as tort . . .* **Tu fais ton boulot,** "job". Cp. p. 36, l. 20.

**p. 44, l. 6. Je suis toujours comme ça avant,** "I'm always like this before". The significance of "before" and of Ivan's general restlessness becomes apparent in the next two scenes.

**l. 8. mon vélo,** "my bike".

*Scene* 2

**l. 14. Elle pose une valise.** The "suitcase" clearly contains high explosive. Ivan is to fasten it on the carrier of his bicycle (*porte-bagage*).

**l. 17. Tu peux filer,** "You can get going" . . . **On t'a dit pour le barrage et la maison?** Her language is necessarily cryptic to the audience. She is confirming that Ivan has been given the right directions. *Barrage* probably means "road-block" here. *La maison* is either a particular house which serves as a landmark, or possibly a friend's house in which Ivan will hide immediately after planting his bomb.

*Scene 3*

p. 45, l. 11. **Il va faire sauter le pont,** "He's going to blow up the bridge."

l. 12. **En cas de coup dur,** "If things should go wrong". The sense of *coup dur* is "a nasty knock", "a stroke of bad luck".

l. 23. **déboulonner des rails,** "to unbolt rails" – and so sabotage trains carrying troops or war material.

p. 46, l. 4. **Ça te passera comme ça m'a passé,** "You'll get over it"/"grow out of it"/"as I did".

l. 12. **C'était un député du Landstag avant la dissolution.** A *Landtag* (not *Landstag*) was one of the regional state parliaments in pre-Hitler Germany, dissolved in 1933. But here *Landstag* appears to be an invented name for the "Illyrian" parliament.

l. 17. **Ça crie fort,** "They're shouting." He is referring to the loud sound of voices behind the closed door of the bedroom. . . . **se bagarrer,** "to fight, brawl".

*Scene 4*

p. 47, l. 20. **il emportera le morceau.** *Lit.* "He'll carry off the (best) piece." Say, "He'll have the whole thing in his pocket."

p. 48, l. 1. **se dégonfler.** *Lit.* "to deflate, go flat". The figurative sense is: "To lose courage, break down" . . . The thought behind Olga's unfinished reply is that Hugo is more likely to become too inflated, i.e., too enthusiastic.

l. 7. **Nous sommes aux premières loges,** "We're in the front boxes." Say, "We've got front-row seats."

l. 19. **C'étaient des anars.** Slang for *anarchistes*. To a Communist, as indeed to anyone engaged in a serious political struggle, anarchist methods and mentality smack of nineteenth-century idealism and are amateurish.

p. 49, l. 1. **Voilà la situation,** etc. In this speech Louis sums up the situation which is the essential political background to the play (see Introduction, p. 11). The Regent, representing the aristocratic ruling class, has so far sided with the Axis powers (Germany and Italy). The Communist Party is wholeheartedly against the Axis. So, because of its nationalistic traditions, is *le Pentagone* (the liberal democrats), but this is an essentially middle-class grouping, anti-Sovietic and unacceptable to the Communists. (Sartre invented the term *Pentagone* with no reference whatever to the American War Department, which was not generally called *The Pentagon* until a later date.)

p. 49, l. 28. **j'irais descendre un flic,** "I'd go and knock off a policeman". *Flic* is mild slang, i.e., "copper".

l. 31. **Mais c'est une blague,** "a joke".

p. 50, l. 12. **Tout le P.A.C.,** *Parti d'action communiste.*

p. 51, l. 6. **trois costauds qui sont là en cas de coup dur,** "three toughs who are there in case anything goes wrong (in case he is attacked)". Cp. p. 45, l. 12.

l. 13. **qui achèveront la besogne,** "who'll finish the job". Cp. p. 32, l. 32.

l. 14. **tu fileras avec ta femme,** "you'll get away with your wife". Cp. p. 44, l. 17.

l. 20. **je ne veux pas faire le mouton.** He means: "I won't be just a kind of stepping-stone". At leap-frog (*saute-mouton*), *le mouton* is the player who bends down while the others leap over his back. . . . **On a des manières, nous autres,** "We 'anarchists' have our pride, you know".

p. 52, l. 9. **Il a réussi.** It is of course Ivan who has succeeded in planting his suitcase and blowing up the bridge.

l. 15. **Il a réussi,** etc. This speech serves as a revelation of Hugo's character, occurring at an appropriate point in the play.

## THIRD TABLEAU

p. 53, l. 2. **Un pavillon.** A small house (in English terms, cottage, bungalow, or lodge) often, as here, in the grounds of a larger house.

l. 4. **Jessica emménage,** "Jessica is moving in." The "feminine disorder" of the scene underlines the contrast between Hugo's wife and Olga, whose room was bare and utilitarian. But among the medley of half-unpacked suitcases and women's clothes, the interest soon concentrates on some unidentified object, or objects, which Jessica – having helped herself to a key from one of the pockets of her husband's suit – takes from a locked case and eventually hides under a mattress.

*Scene* 1

**p. 53, l. 13.** The tone of the dialogue between the young married couple is for the most part playful and humorous. They themselves are aware that they are "playing", and say so. But occasionally a much more serious note underlies the conversation.

**l. 16. Il n'en finissait pas,** "I thought he would never come to an end." Hugo has just returned from his first interview with Hoederer.

**l. 22. Qu'est-ce que tu penses de l'installation?** "How do you like the way I've arranged things?"

**p. 54, l. 5. Entre deux âges.** A usual phrase meaning "neither young nor old". Jessica playfully asks, "Between what ages?" Hugo replies in the same tone.

**l. 11. Une grande balafre, une perruque,** "A big scar, a wig . . ."

**l. 14. Tu fais le malin,** "You're being very clever".

**l. 21. Ma pauvre abeille.** Term of endearment to which Jessica is addicted. "Poppet, honey", etc.

**l. 25. Ce sont deux pavillons de soie,** etc. "They are two silken tents, two gardens in Andalusia, two sunfish." Intended as nonsensically "poetic".

**p. 55, l. 5. une cravate à pois,** "a tie with a polka design".

**l. 18. comment il est fait.** A usual phrase, meaning roughly, "how he is built". Say, "What he looks like".

**l. 20. mon père était vice-président des charbonnières de Tosk,** "my father was vice-chairman of the Tosk Coal-Mines." Hugo resents his father, as becomes still more apparent later on.

**p. 56, l. 13. Les impératrices grecques,** etc. The relevance of Jessica's remark is that persons as refined as Greek empresses could sleep with persons as "vulgar" as barbarian generals, so that vulgarity is not an insuperable barrier.

**l. 16. Byzance,** "Byzantium".

**l. 30. Il va mourir.** Hugo cannot resist hinting at his important mission, of which Jessica is unaware. For some time she does not believe him.

**p. 57, l. 11. Malabar.** A district in India where, in former times, widows were burnt on their husbands' funeral pyres. An eighteenth-century play on the subject, Lemierre's *La*

*Veuve de Malabar*, may have been in Hugo's, or the author's, mind.

p. 57, l. 17. **Tu es bête et vulgaire.** Hugo's remark has stung Jessica, who is a natural coquette. She is genuinely angry and "won't play any more".

l. 28. **la femme d'intérieur,** "the good housewife".

p. 58, l. 1. **les louves aux cheveux noirs,** "dark-haired she-wolves." Jessica evidently knows that Hugo has had an affair with Olga before his marriage to her.

l. 11. **Comme ça te ferait plaisir,** "How pleased you'd be" (if you weren't your father's son). See note to p. 55, l. 20.

l. 18. **Elle est bourrée de lettres de la louve,** "crammed with letters from the she-wolf (Olga)."

l. 25. **Alors, pouce.** A child's expression meaning, "Stop". *Pax* is the nearest equivalent . . . **Pouce cassé,** "Not stop"/"*Un-pax*".

p. 59, l. 11. **tu portais un col dur, ça devait racler ton cou de poulet,** "you wore a stiff collar – it must have scraped your scraggy little neck" . . . **une lavallière,** a large floppy bow.

l. 28. **Il le lui prend,** etc. All this is done very openly and deliberately, imprinting on the audience the picture of Hugo replacing the photographs and the revolver in his suitcase. On that depends the tension of the following scenes.

p. 60, l. 7. **Tu es assommant,** "You are a dreadful bore". She does not believe him. Her unwillingness to take him seriously leads him to insist on the truth of his statement about Hoederer. He desperately needs admiration.

l. 28. **Mais qu'est-ce qui te prend?** "But what's come over you?" Cp. p. 37, l. 3.

p. 61, l. 22. **Le type a l'air coriace,** "He looks a tough kind of guy". *Coriace, lit.* "leathery". (*Cuir*: leather).

l. 24. **l'attacher à la gueule d'un canon,** "tie him to the mouth of a big gun".

p. 62, l. 3. **Nous n'en sortirons pas,** "We shall never get out of this", i.e., We're going round in circles.

*Scene 2*

l. 8. **Slick et Georges entrent,** etc. Hoederer's two mountainous bodyguards, with their submachine-guns and belts slung with revolvers, are presented as an outwardly comic couple. They are, however, by no means undangerous in the situation in which Hugo finds himself.

p. 62, l. 12. **un coup de main,** "a (helping) hand".

l. 24. **le travail de force,** "heavy work", such as steel-moulding – rather than folding underwear.

l. 28. **comment c'était bâti,** "what they looked like". See note to p. 55, l. 18.

p. 63, l. 1. **Ça vous revient?** "Does it come back to you?" ("Do you remember now?")

l. 5. **sautait le mur,** "used to slip out". The sense is not literal.

l. 6. **total qu'on l'a retrouvé un matin la tête dans une mare,** "result – he was found lying one morning with his head in a pond". The implication is that he was murdered by some jealous villager.

l. 7. **pour avoir sa suffisance à domicile,** "to have all he wanted (in the way of women) at home."

l. 31. **Ils sont à cheval sur le règlement,** "They're very sticky about the rules." *Être à cheval sur quelque chose* renders much the same idea as "to get on one's high horse about something".

p. 64, l. 2. **S'il avait bronché,** "flinched".

l. 11. **Vous en reviendrez,** "You'll get over it", or better here, "You'll get used to it". Cp. *Je n'en reviens pas*, "I just can't get over it, can't accept it".

l. 16. **Vise-moi s'il est bien loqué!** Very colloquial: "Take a squint at these lovely togs!" *Loques*: "Rags", by extension, "Clothes, togs". So *loqué*: "togged-out."

l. 21. **Méfiez-vous des placards, les murs sont cra-cra,** "You have to be careful of wall-cupboards. The walls are filthy." (Popular expression.)

l. 24. **Jessica, prenant son parti,** "resigning herself" (to a long stay by the two bodyguards).

p. 65, l. 8. **ça se blottit,** "huddle up close, don't need much room".

l. 17. **la chambre du vieux.** *Le vieux*, "the old man, the boss".

l. 21. **Le jardin n'est pas sain,** "It's not healthy in the garden" – because someone might be hiding in it with a gun.

l. 25. **Des fois qu'il y aurait des rats.** Colloquial. "Just in case there are any rats."

p. 66, l. 2. **s'il y avait du pet,** "if there was any trouble" (colloquial).

l. 8. **Des armoires!** They are built like a pair of wardrobes – large, heavy, and nearly square.

l. 20. **On se tutoie, nous trois, hein?** Hugo's question is somewhat ironical, but it would be natural for the three men to call each other *tu*, since they are all "comrades" working together in the same place.

l. 29. **Revenez quand vous voudrez,** etc. A politely ironical way of asking them to clear out.

p. 67, l. 2. **Fouiller la chambre,** "To search the room." The real object of their visit. From this point the conversation takes a more threatening turn.

l. 10. **Voyons, mon petit pote, fais pas l'idiot,** "See here, my little chum, don't act so dumb." The two bodyguards have a contemptuous attitude towards Hugo. Slick has already called him *mon petit gars* and *petite tête*. When, a little later, Hugo says that he "respects himself", their reaction is naturally a mocking one.

l. 11. **Il va y avoir du baroud,** "There's going to be some rough stuff, trouble."

l. 27. **une consigne,** "an order", usually in the sense of a standing order of general application. A sentry is given the *consigne* to let no one pass. Later, he might suddenly receive an *ordre* to let one particular person in. See Hugo's speech six lines below, beginning, "*Je respecte les consignes . . .*"

p. 68, l. 11. **c'est qu'on en avait marre de crever de faim,** "it was because we were fed up with starving." Popular speech.

l. 14. **de quoi bouffer,** 'enough to eat". Popular.

l. 19. **un rouleau compresseur,** "a steam-roller".

l. 32. **Va dire au Vieux que le petit poteau ne veut pas se laisser faire,** "Go and tell the Old Man that our little chum isn't having any." It is assumed that the third bodyguard, at the other end of the telephone, asks: "What does he say?" To which Georges replies: **Oh, des boniments,** "Oh, just some claptrap."

p. 69, l. 3. **alors qu'on a foutu à poil jusqu'au facteur.** They had searched even the postman to the skin, making him undress. *Poil* (hair) is used for "skin" in this sense. Cp. *Se mettre à poil,* "To strip to the skin". . . . **Je lui rends**

**mon tablier,** "I'll give up my job, hand in my checks." This not unusual phrase originates in a servant's custom of handing back his or her apron (*tablier*) to the employer when leaving.

**p. 69, l. 5. Il y passera ou c'est nous qu'on s'en va,** "He'll go through it or it's we who'll leave (our jobs)." This very colloquial use of *on* replaces the more correct "C'est nous qui nous en allons." See also below, p. 69, l. 20.

**l. 13. une gueule d'aristocrate,** "the mug of an aristocrat". An insult with revolutionary undertones. The situation is becoming ugly.

**l. 17. des gueules de cognes,** "mugs like coppers, policemen." Also an insult for men in opposition to the authorities.

**l. 20. si c'est qu'on est des cognes, des fois on pourrait se mettre à cogner!** "If we're coppers, maybe we might begin knocking you about!" Or, to preserve the play on words (*cognes* and *cogner*): "Maybe you're going to cop it!"

*Scene 3*

**p. 70, l. 4. A propos, Hugo, tu peux me tutoyer.** See note to p. 66, l. 20.

**l. 5. Il prend un slip et une paire de bas . . .** Some of the clothes which Jessica was unpacking at the beginning of the Tableau. *Slip* in the sense of "panties" is a fairly recent borrowing from English.

**l. 19. en venir aux mains,** "come to blows".

**l. 27. Question de peau.** *Lit.* "It's a matter of (his) skin" – which he cannot change. Slick means: "We're different kinds of people, and that's all there is to it." Hoederer objects. "When you come here, leave your 'skins' – your natural antipathies – in the cloakroom."

**l. 29. vous êtes mal partis,** "you started off on the wrong foot."

**l. 32. Demain vous lui ferez des farces,** etc. "Tomorrow you'll start playing practical jokes on him and next week . . . you'll come and tell me that he's been fished out dead from the pond." Like the previous secretary (see p. 63). Hoederer implies that Slick and Georges had a hand in his death.

p. 71, l. 4. **Ne te crispe pas,** "Don't work yourself up." *Se crisper*, "to contract, grow tense" (of nerves, etc.).

p. 71, l. 22. **pour bouffer à votre faim,** "to have enough to eat". See note to p. 68, l. 14.

p. 72, l. 2. **tu voulais ta bouffe,** "your food". See above.

l. 9. **Quand on la saute, mon pote,** "When you go without food, chum"/"When you are starving." Slang.

l. 14. **les dames visiteuses qui montaient chez ma mère quand elle était saoule,** "the district-visiting ladies who came up to see my mother when she was drunk." This reminiscence, no doubt of his childhood, explains why Hugo's reference to "self-respect" in the previous scene has so infuriated Slick.

l. 21. **Les phosphatines.** Patent food supplying vitamins.

l. 26. **C'est le moment,** etc. . . . "That was the time when I was taken to the slaughter-houses to drink fresh blood." . . . **Pâlot,** "Pale and sickly."

l. 31. **l'huile de foie de morue,** "cod-liver oil". It supplies certain vitamins, but Sartre appears mistaken in supposing that it has ever been intended as *an appetizer*.

l. 34. **je les voyais passer . . . avec leur pancarte,** "I saw them going past with their posters." Processions of unemployed in the depression of the early nineteen-thirties.

l. 36. **Une cuillerée pour le gardien qui est en chômage,** etc. "A spoonful for the caretaker (or watchman) who's out of work, another for the old woman collecting peelings from dustbins . . ." Hugo is bitterly parodying the *real* words of his nurse or parents which he quoted earlier in this same speech ("*Une cuillerée pour papa*", etc.).

p. 73, l. 5. **de quoi que tu te mêles?** Colloquial. "What's it to do with you? What do you know about it?"

l. 27. **On ne le blaire pas.** Popular. "We just don't like the smell of him." From *blairer*, "to sniff at".

l. 30. **Espèces de salauds,** "You bloody swine." *Espèce de* normally reinforces whatever uncomplimentary word follows it.

l. 32. **On juge un type à son travail.** A perfectly natural remark in the mouth of Hoederer at this point, but it is also in line with Existentialist theory. It is not the fellow's "skin" or nature which matters, but the things he does.

p. 74, l. 6. **qui ont mangé à leur faim,** "who satisfied their hunger"/"always had enough to eat". The usual expression. Cp. p. 71, l. 22.

p. 74, l. 13. **Ils ont raison, c'est une question de peau.** Hugo's outburst is a denial of Hoederer's remark in line 32, p, 73. He feels that, whatever he does, he will always be "different".

l. 19. **trimer dur.** Colloquial. "Work hard."

l. 22. **On aura beau faire,** etc. "It's no good, there's something between us which doesn't click (agree)."

l. 28. **Marchons comme ça,** "That's all right by me." The more literal sense is: "Let's go on that way."

l. 33. **Histoire de marquer le coup,** "Just to show where we stood"/"Just a formality". The metaphor comes from fencing, when one "marks the thrust" by feinting at an opening, without actually completing the hit.

p. 75, l. 24. **Folle!** "Are you mad?" The exclamation is double-edged. Hugo may well think that Jessica is mad to speak of his hiding a revolver, since she knows that he is. But to Hoederer and his guards, his meaning will merely be: "What an absurd idea!"

p. 76, l. 9. **C'est déjà fait.** He had felt the suit over soon after his arrival (p. 64).

l. 13. **Et la poche-revolver,** "hip-pocket".

l. 20. **camériste.** She mocks the awkward and bashful Georges.

l. 25. **Celle-là aussi?** "This" is of course the suitcase in which Hugo was last seen replacing the revolver and the photos (p. 59).

p. 77, l. 1. **Tirez-vous,** "Now clear off." Popular.

l. 2. **Sans rancune,** "No hard feelings." While "rancour" is practically a dead word in English, *rancune* is still vigorous and usual in French.

*Scene 4*

l. 27. **Pendant toute la scène ses regards furetteront partout,** "During the whole scene he will be constantly casting about with his eyes." *Fureter,* "to nose about". Cp. "ferret". Hoederer is not satisfied with the result of the search, or with Hugo's attitude.

p. 78, l. 4. **Vous faites des drôles de têtes, mes enfants,** "You look quite put out, my dears." Cp. p. 30, l. 14.

p. 78, l. 22. **Hegel, Marx, très bien,** "Good." He approves. Hegel: German philosopher (1770–1831) whose philosophy of history, in particular, influenced Karl Marx. **Lorca, Eliot: connais pas** "Never heard of them." Garcia Lorca, the Spanish poet (1899–1936) and T. S. Eliot would be names familiar to a "literary" intellectual such as Hugo, and indeed to most people. But Hoederer has had no time for this sort of culture.

l. 29. **Une robe de chambre, tu te mets bien,** "A dressing-gown. You dress yourself well." In France, a man's dressing-gown is rather more of a luxury than in England. It is certainly not a working-class garment.

l. 32. **Les deux complets aussi,** "The two suits as well." Same as *costumes*.

p. 79, l. 6. **Tu devais te ronger,** "You must have felt terribly frustrated." *Ronger*, "to gnaw". "To gnaw at the bit" carries the same idea.

l. 8. **J'étais chargé du journal,** "I was responsible for the paper." See p. 43.

l. 31. **Est-ce que je ne suis pas en train de me jouer la comédie?** "Aren't I acting a part (even) before myself?" . . . **Des trucs comme ça,** "Things like that". *Truc* is used vaguely in colloquial French when you can't bother to think of the exact word. E.g., *Mets le truc sur le machin*, "Put the thingummy on the whatsit."

p. 81, l. 6. **tu toises ton monde comme un Napoléon,** "You stare out at your world like a little dictator." More literally, *toiser* = "to measure up". So, "You measure up your world"/"the people in front of you."

l. 9. **Pourquoi trimbales-tu ton passé . . .** "Why do you lug your past about?"

*Scene 5*

l. 27. **Mais il ne porte pas de cravate à pois.** A reference to Hugo's evidently inaccurate description of Hoederer on p. 55.

p. 82, l. 5. **de son corsage,** "from down the front of her dress."

l. 8. **Quand tu es allé ouvrir.** See the non-committal stage-direction on p. 62, l. 5.

l. 13. **Le coup de la confiance,** "the 'confidence' gambit".

l. 15. **Et encore!** "And not always then!"

l. 22. **un beau garçon,** "some good-looking young man".

**p. 82, l. 27. Tu crois qu'on me prend par les sentiments?** "Do you think I'm to be influenced by sentiment?" Hugo replies in effect: "No. What I'm relying on is your coldness towards men in general."

**p. 83, l. 7. C'était pile ou face,** "It was a toss-up (heads or tails)."

**l. 9. Slick m'aurait empoignée . . .** "Slick would really have got hold of me."

**l. 21. pour l'abat . . .** The unfinished word is *abattre*, "to kill him, do him in". Cp. p. 33 l. 10.

**l. 22. Des fois** is here a synonym of *quelquefois* and has the normal educated meaning of "sometimes". Cp. p. 69, l. 20.

**p. 84, l. 4. As-tu vu comme il est dense?** *Il* is Hoederer. *Dense*: "Solid". The flesh-and-blood presence of the real Hoederer jolts Hugo, a killer so far in imagination only.

**l. 8. Ma petite abeille, si tu veux me convaincre,** etc. Jessica states the position clearly. Hugo is not yet ready in his own mind to kill Hoederer.

**l. 25. Même jeu qu'à la première scène.** See p. 59.

## FOURTH TABLEAU

**p. 85, l. 3.** Stage directions: **Une table . . . avec un tapis,** "A table with a cloth". . . . **Un fourneau à gaz,** "A (portable) gas stove".

### *Scene* 1

**l. 20. File!** "Scram!" Cp. p. 44, l. 17.

**l. 21. Comme je m'ennuyais de toi,** "How I was longing for you."

**l. 23. Ça sent le tabac refroidi,** "It smells of stale tobacco" – but the English word "stale" is not entirely appropriate. The smell of extinguished pipes and cigars is less unpleasant than it suggests.

**p. 86, l. 1. la poche de son tailleur,** "the pocket of her suit". *Tailleur* is the usual word for a woman's coat-and-skirt.

**l. 20. commence par rentrer ce revolver.** He means: "Put it back (in your pocket)".

**p. 87, l. 12. comme une odalisque,** "woman in a harem".

**l. 17. il faut que je te passe toutes tes humeurs,** etc.

"I have to overlook all your whims, as though you were an expectant mother."

p. 87, l. 26. **Ah! tu m'assommes.** "Oh, you drive me mad." Cp. p. 60, l. 7. . . . **des visites,** here, "visitors".

p. 88, l. 10. **le bureau de Hoederer,** "Hoederer's desk".

l. 19. **il trace les lettres sans les relier,** "He doesn't join up his letters."

l. 21. **Après.** "What of it?" Cp. p. 33, l. 28.

l. 24. **Autant savoir qui on tue,** "We might as well know whom we're killing." This use of *autant* followed by an infinitive is common.

l. 31. **un livre de graphologie,** "a book on graphology" – the study of handwriting as a guide to character. . . . **je suis douée,** "I'm gifted, I have a gift for it".

p. 89, l. 7. **Jessica débouche un carafon,** "J. takes the stopper out of a flask, small decanter."

l. 9. **Comme un trou.** The commonest French equivalent of "to drink like a fish". A "hole" can absorb liquid endlessly.

l. 22. **Il fait sa cuisine lui-même?** "He does his own cooking?"

l. 29. **Du très bon café de marché noir.** *Du* is usual in colloquial French before a noun preceded by an adjective, though *de* would be more correct. . . . Coffee was scarce in occupied Europe, but could be obtained illegally on the "Black Market".

p. 90, l. 5. **Elle a l'air vraie quand il la touche.** Note the insistence on the word *vrai* (real) in this speech. Hoederer stands for a physical reality which Hugo cannot achieve for himself. *His* world is made up of *mensonges* ("illusions, unreal things"). He observes (l. 14): **"Je vis dans un décor":** "I'm living among stage scenery, living on a kind of stage."

l. 21. **Et puis ça sent mon enfance,** "And then the smell reminds me of my childhood". Jessica is also falling under Hoederer's spell, helped by the odour of spent tobacco, which reminds her of her father.

*Scene 2*

p. 91, l. 7. **C'est manqué,** "It hasn't worked". *Manquer,* "to miss, fail to bring off".

l. 22. **Ça se voit,** "It's obvious".

p. 92, l. 15. **Allez, ouste,** "Get out, shoo!" or "Off you go!" He speaks to her as though she were a small child.

*Scene 3*

l. 21. **Tu tiens à elle,** "You're fond of her?" but with the underlying meaning: "You wouldn't like to lose her?" *Tenir à quelque chose:* "To value something (and wish to keep it)". E.g., "*Je tenais à cette bague.*"

p. 93, l. 13. **Des gens de ton monde,** "class, social background".

l. 15. **L'affaire est dans le sac,** "It's in the bag." We're sure to succeed.

l. 21. **mais je suis visé,** "marked down". More literally, "aimed at".

l. 26. **Ils ont de la suite dans les idées.** Wryly humorous. "Their ideas are pretty consistent."

l. 33. **Ce serait le moment . . .** As Hoederer has just remarked, this would be a good time for his opponents in the Party to kill him. Hugo, armed with the revolver which Jessica brought him in Scene 1 (see p. 86), struggles with the realization that he ought to act now. This gives tension to the remainder of the scene.

p. 94, l. 10. **Je n'ai pas d'objection de principe,** "I have no objections in principle".

l. 17. **je ne suis qu'une étape,** "I'm just a stage (in your progress)." . . . **Tu me regardes du haut de ton avenir,** "You look back at me from the heights of your future (the heights you will reach)." . . . **Quand il sera crevé,** "When he's dead". (Colloquial.)

l. 24. **C'est marrant** "It's funny!" (Popular.)

l. 28. **Tu es tubard?** Slang for "tubercular".

l. 30. **je ferai de vieux os,** "make old bones, live to be old".

p. 95, l. 8. **C'est une maladie bourgeoise,** "It (youth) is a middle-class disease". The workers, according to Hoederer, miss out that stage, passing directly from childhood to manhood.

l. 12. **Tu as l'air si mal parti,** "You seem to have made such a bad start." Cp. p. 70, l. 29.

l. 16. **Le grand, c'est Karsky,** etc. The emissaries of the other two political parties in Illyria. See note to p. 49 and Introduction, p. 15.

*Scene 4*

p. 95, l. 27. **qui leur poussent leurs mitraillettes dans les reins,** "prodding the small of their backs with their sub-machine-guns".

p. 96, l. 3. **vos molosses,** "your mastiffs, watch-dogs". Elsewhere they are called *chiens de garde*.

l. 4. **Ça va comme ça,** etc., "That's okay, boys, scram!" Before his stiff, high-ranking visitors, Hoederer tends to exaggerate his democratic informality.

l. 21. **Vous êtes un petit malheureux,** "You are a young scoundrel." Karsky is a typical representative of the rich middle-class milieu which Hugo has renounced. There is a bitter "family" hostility between them.

p. 97, l. 24. **un peu de rondeur,** "a little frankness".

l. 30. **deux attentats contre mon père,** "two attempts on my father's (the Regent's) life".

p. 98, l. 3. **les revendications légitimes de la classe travailleuse,** "the legitimate demands of the working class". . . . He goes on to say that they had to be shelved ("*faire passer au second plan*") before the threat of a German invasion.

l. 8. **fût-ce au prix,** "even at the cost".

l. 19. **Hoederer rit grossièrement,** "H. gives a vulgar laugh." The diplomatic eloquence which the Prince employs is full of understatements which, for Hoederer, are frank misstatements.

l. 26. **nous ne sommes pas en mesure,** "we are not in a position".

l. 29. **Karsky estime,** etc. "Karsky considers that internal dissensions can only injure (do disservice to) our country's cause".

p. 99, l. 4. **En voilà assez: nous perdons notre temps.** Karsky sees already from Hoederer's manner that the Communist will not be willing to bargain on the terms they have to offer. He is ready to break off the interview. The Prince, however, is a subtler diplomat – and he also has more to lose in the event of a German defeat.

l. 5. **Il va de soi,** "It goes without saying . . ."

l. 9. **Deux voix,** "Two votes".

l. 17. **la majeure partie du paysannat,** "the majority of the peasant population"/"the agricultural workers".

*Paysannat* is a modern collective word on the analogy of *artisanat* (skilled industrial workers) and *prolétariat* (used below). . . . **Le prolétariat ouvrier,** "the industrial working-class".

**p. 99, l. 23. Nous opérerons un remaniement et une fusion par la base . . .,** "We shall carry out a reorganization and an amalgamation from the bottom level . . ." It will be not merely an alliance between the leaders, but a fundamental merging of the two underground parties, affecting all their members. The Communists, Karsky continues, will become part of "*notre dispositif pentagonal*" – the effectives of the Pentagon.

**p. 100, l. 2. abroger les lois de 39 sur la presse, l'unité syndicale et la carte de travailleur.** Repressive measures directed against freedom of the press, the right to "assemble" in trade unions (*syndicats*), and the individual worker's liberty to find work where he likes. The *carte de travailleur* ("worker's card") is resented because it may record damaging facts, such as political associations.

**l. 18. une poignée d'hommes sans le sou,** "a handful of penniless men".

**l. 27. des exigences absurdes.** *Exigences* are excessive or unreasonable demands.

**l. 33. qui restait sur le carreau.** *Lit.* "Who was left on the floor". Say, "Who didn't come back, survive".

**p. 101, l. 2. parce que les Russes ont battu Paulus à Stalingrad . . .** The destruction in January 1943 of the encircled German Sixth Army under General von Paulus at Stalingrad is often seen as the turning-point of the war. At least it marked the end of German hopes on the Eastern Front.

**l. 12. il cherche à s'accomoder des Russes,** "he's trying to come to an arrangement with the Russians".

**l. 18. Vous aviez la partie belle.** Fairly literally: "You had an easy game to play", "Everything was right for you". . . . **Le Régent donnait des gages à Hitler,** "The Regent was giving Hitler guarantees"/"was making concessions to Hitler".

**l. 24. Il faut trouver des garanties.** The sense here is not "guarantees", but "guarantors". Hoederer develops the point in his next speech.

**p. 102, l. 1. garantir votre petite combinaison,** "Vouch for your little scheme". *Combinaison* is nearly always used unfavourably, implying a "cooked-up" scheme or plan.

**l. 7. un chantage abject,** "a contemptible piece of blackmail".

**l. 8. je ne suis pas susceptible,** "sensitive".

**l. 18. vous m'avez attiré dans un guet-apens,** "You've lured me into an ambush, trap".

**l. 25. Il va de soi,** "It goes without saying". Cp. p. 99, l. 5.

**l. 34. et nous assassine au coin d'un bois.** A not uncommon metaphorical expression. "Cut our throats at some dark turning."

**p. 103, l. 5. Je n'ai pas qualité,** "I am not qualified, empowered".

**l. 8. nous n'en sommes pas à huit jours près.** Say, "We don't have to decide in a week". The idiom is: *Ne pas en être à . . .* (time) *. . . près.* As literally as possible: "Not to be as near as . . . (length of time) . . . from it."

**l. 14. votre acceptation de principe,** "your agreement in principle".

**l. 21. Les mêmes qui venaient chez mon père.** See note to p. 96. . . . **Les mêmes bouches mornes et frivoles,** "The same dreary, frivolous faces" – rather than "mouths", though he is also thinking of the words they speak.

**l. 23. ils se glisseront partout, ils pourriront tout,** "they will squirm in everywhere, they will corrupt everything".

**l. 27. pour vous blanchir,** "to whitewash you".

**p. 104, l. 4. A ce moment . . .** A theatrically effective point for an explosion. The audience is prepared for Hugo to fire, when the noise comes unexpectedly from elsewhere. . . . **Les montants de la fenêtre,** "The cheeks (or sides) of the window-frame".

**l. 6. A plat ventre!** "Down on your bellies!"/"Down on the floor!" The normal reaction when a bomb explodes – to avoid splinters.

*Scene 5*

**l. 17. Grenade ou pétard,** "Hand-grenade or bomb". *Un pétard* can be almost any small explosive device, as, e.g., a stick of dynamite.

**p. 104, l. 19.** HUGO: **Les salauds!** "The swine!" The private significance of his anger is that, just at the moment when he was keyed up to shoot, "they" had tried to forestall him.

**l. 24. Ça me rappelle le palais de mon père,** etc. It reminds him of the attempts on his father's life organized by Karsky's party (see p. 97), so he spontaneously asks Karsky if his men are responsible this time.

**l. 31. Hoederer est tué?** Jessica's first thought is for Hoederer's safety, but if Hoederer were suspicious he might suppose that she was merely expecting him to be killed. He replies as though her question had not registered on him.

**p. 105, l. 1. Léon . . . vous pansera,** "Leon will bathe your cuts." *Panser une blessure*, "to dress a wound".

**l. 9. Pétard.** See note to p. 104. **Calté** (popular), "made off". **C'est le mur qui a tout pris,** "The wall took all the damage."

*Scene 6*

**l. 21. Un peu nerveux, hein?** *Nerveux* is "jumpy, on edge", rather than "nervous", which implies timidity.

**l. 23. Il n'y a pas de honte,** etc. These few lines of dialogue are laconic and colloquial. Translate: SLICK: There's nothing to be ashamed of. It's the baptism of fire (your first time under fire). You'll get used to it. GEORGES: One can even say that in the end it's a relief. Don't you think so (Isn't that true?), Slick? SLICK: It's a change, it wakes you up, it stretches your legs."

**l. 27. Je râle,** "I'm furious." Colloquial.

**p. 106, l. 1. Tu as de la bonté de reste.** Ironical. "You are too good to them." Slick means that Hugo is paying too much attention to the bomb-throwers. For him and Georges such episodes are their "bread-and-butter" (*gagne-pain*) and all in the day's work.

**l. 6. Il saignait comme un cochon,** "He (Karsky) was bleeding like a pig."

**l. 7. Ce sont les plus grands fils,** etc. "They're the biggest sons of bitches on earth."

**l. 10. un casse-tête,** "a brain-twister, a frightful puzzle".

**l. 15. Cent kilogs de chair,** etc., "fifteen stone of flesh and just a nut in the brain-case – just like a whale". The messages sent out by the "nut", Hugo continues, get lost in the vast mass of Slick. They merely tickle him.

p. 106, l. 25. **Je suis relevé de mes fonctions,** "I've been relieved of my post, dismissed."

l. 32. **et tu te casses le cul pour l'accomplir,** "and you break your backside to do it". In this speech Hugo betrays himself to Slick completely, but Jessica covers up by implying that he is talking about their domestic quarrels (*histoires de ménage*).

p. 107, l. 3. **Déridé,** "Smiling". *Lit.* "Unwrinkled (ceasing to frown)."

l. 6. **C'est une tête, hein?** "She *is* a brain, isn't she?"

l. 9. **Je dois avoir quelque chose de travers dans la gueule,** "There must be something crooked about my face."

l. 18. **Sans blague.** A common popular expression. *Blague*: "Joke". Say, "You don't say so!"

l. 21. **Je l'ai à la bonne.** A slang expression. "I've got a liking"/"a weakness for him".

l. 25. **Ça ne risque rien,** "There's no risk of that."

l. 31. **Mission de confiance. Dis! où elle est, la confiance?** "A confidential mission. But where's the confidence?" It is this thought which has been tormenting Hugo since the bomb exploded. His accomplices evidently have no confidence in his ability to kill Hoederer. Once again, in his drunken state, he practically betrays himself to Georges and Slick, whose suspicions are now aroused. But once again Jessica covers up, by suggesting this time that his secret is that he is to become a father.

p. 108, l. 4. **La gueule de tout le monde,** etc. "Just an ordinary mug. And yet it ought to show!" An assassin ought to have a distinctive face.

l. 11. **Ne vous cassez pas la tête,** "There's no need to rack your brains."

l. 18. **Une ronce dans le cœur,** "A thorn (*lit.* bramble) in the heart".

l. 20. **le sale groin de Karsky,** "Karsky's filthy snout".

l. 21. **Mais vous êtes donc les bûches,** etc. "But are you blockheads? Why don't you shoot at me?" Hugo imagines that he has said quite clearly that his mission was to kill Hoederer.

**p. 108, l. 28. Être ou ne pas être, hein?** Hamlet's famous, "To be or not to be," which Hugo distorts in his next speech.

**l. 33. Est-ce qu'on peut en sortir,** "Can one ever get away from it (get out of it)?" Jessica seizes on the verbal cue of *sortir* to suggest that they should *rentrer* ("go home").

**p. 109, l. 2. je veux ou je ne veux pas.** An echo and development of *être ou ne pas être* above.

**l. 6. Vous n'êtes pas cinglée de le faire boire?** "Are you mad (slang) to make him drink?"

**l. 11. ça cause trop là-dedans,** "too much talk goes on in there" – inside his own head.

**l. 14. Pourquoi tournez-vous si vite?** The room and the people round him are spinning.

**l. 17. Le tout c'est d'allumer la mèche,** "The whole problem is to light the fuse" – and so make it inevitable that the bomb will go off. Hugo is speaking more than half metaphorically, obsessed with the process which leads to decisive action. But the thought of the real bomb which exploded is also in his mind, and more strongly still in the minds of Slick and Georges.

FIFTH TABLEAU

**p. 110, l. 6.** Stage Directions. **Jessica est assise à son chevet,** "sitting at his bedside". . . . **sur ces entrefaites,** "in the meantime; while this is going on".

*Scene* I

**p. 110** et seq. The dialogue between Jessica and Olga is marked by an acid politeness, developing presently into more pointed sarcasm. It befits their respective positions as Hugo's wife and his former mistress. The two have heard about each other, but have not met before.

**p. 111, l. 1. Excusez-moi.** An example of Jessica's irony. The implication is: "I'm sorry to be so clumsy (but I *am* learning)".

**l. 4. C'est vous qui avez lancé cette bombe, Madame?** More ironical politeness.

**l. 14. Avec un peu de veine,** "With a bit of luck".

**l. 20. Cette affaire traîne,** "This business has been going on too long." *Traîner*, "to drag (along), to move too slowly".

p. 112, l. 1. **De quelque manière qu'il s'y prenne,** etc. "However he goes about it now, he hasn't much chance of coming out on top (or "alive")." *S'en tirer,* "To get out of a difficult or dangerous situation." Translate according to the context. In this case the consequence of failure would probably be Hugo's death.

l. 14. **Évidemment,** "Of course (you're right)."

l. 22. **une femme de tête,** "a practical/efficient woman". The basic sense of this expression is: "A woman with a good head".

l. 23. **à repasser vous combinaisons,** "ironing your slips". Jessica is becoming more openly hostile.

l. 28. **avec une verrue sous le nez,** "with a wart under your nose".

p. 113, l. 4. **l'amour ne tracasse pas beaucoup les femmes de tête,** "love doesn't worry practical women much". See note to p. 112, l. 22.

l. 7. **femmes de cœur,** "emotional women".

l. 25. **Pourquoi ne m'avez-vous pas fait confiance?** "Why didn't you trust me?" Hugo's obsession. Cp. p. 106, l. 32. Four lines lower Jessica repeats Hugo's question. She means: Why did not Olga trust her by saying that she was waiting to escape and that time was short?

p. 114, l. 2. **Qu'est-ce que je tiens comme mal au crâne,** "What a splitting headache I've got."

l. 22. **les camarades ne rigolent pas. Le Parti, ça se quitte les pieds devant,** "the comrades are not in this for fun. You only leave the Party feet first (carried out as a corpse)". Olga points out that Hugo's suggestion of "resigning" is somewhat impractical.

25. **après avoir tout raté,** "after messing-up everything". . . . **se faire buter comme une donneuse,** "to get knocked off like an informer". In this slang expression, the feminine is usual (one who "gives away" secrets).

l. 30. **Mais dites-le-lui, vous!** She appeals to Jessica . . . **qu'on l'abatte comme un chien,** "put him down like a dog". See p. 33, l. 10.

*Scene 2*

p. 115, l. 11. **Je rallume?** "Shall I switch the light on?"

l. 17. **Tu as de la peine?** In this context *peine* = mental or emotional suffering. There is no exactly equivalent single word in colloquial English. Perhaps "distress".

p. 116, l. 3. **Toi, tu vas tuer un homme.** In this passage Jessica, who so far has been half "acting" her responses, at last wakes up to the physical reality of the act of killing.

l. 28. **c'était sale, hein?** "It was ugly/nasty, wasn't it?"

p. 117, l. 10. **le doigt sur la gâchette,** "my finger on the trigger".

l. 14. **Ils ont beau jeu,** "It's easy for them." More literally, "They have an easy hand to play." . . . **c'est comme s'ils rayaient un nom sur un annuaire,** "it's like crossing out a name in a directory".

l. 17. **une besogne,** "a job to be done". Cp. p. 32, l. 32. . . . **Les abattoirs,** "the slaughter-house". See p. 72, l. 27.

p. 118, l. 1. **en train de crever,** "dying". For *crever*, see p. 68, l. 11, and p. 94, l. 17.

l. 5. **Il a de la veine,** "He's lucky".

l. 28. **Et il faut tuer les gens qui n'ont pas vos idées?** This is the classic question of those who put "common humanity" before "ideas". It occurs quite naturally here in the mouth of Jessica.

p. 119, l. 3. **On croirait à t'entendre,** etc. "To hear you talk, one would think that one opinion's as good as another and that they're things you catch like infections."

l. 9. **Ce qui compte c'est ce qu'il fait,** "What counts is what he does." Hugo is cxpounding a piece of pure dialectical materialism, which he has *learnt* rather than *felt*.

l. 31. **Mon Dieu!** Jessica is aghast at the – for her – horrible ideas which can be found in books. The remark is perhaps a little out of character, supposing a somewhat simpler person than she has so far been depicted as being, but it leads up to her fine speech below.

p. 120, l. 6. **A qui la faute?** etc. The protest of the "sheltered" woman at having been brought up in ignorance of realities. It is also possible to find in it a deeper protest by the author, writing from the humanist point of view and with a tinge of prophecy. See particularly: "... **pour m'avouer un beau jour ... que vous êtes des incapables et pour m'obliger à choisir entre un suicide et un assassinat".**

p. 120, l. 9. **avec défense de toucher aux objets exposés.** Metaphorical. "And forbidden to touch the exhibits".

l. 18. **Je ne connais rien à vos histoires.** Broadly: "I'm not interested in your quarrels."

l. 23. **tu m'as mise dans le coup,** "you've brought me into it as well". If *le coup* is translated, a suitable word would be "plot".

p. 121, l. 5. **Tu joues à la mère de famille,** "You're acting the little mother". In his tense state Hugo is unjust to Jessica.

l. 11. **tu ne t'en es pas si bien tirée,** "you didn't come out of it too well". Cp. p. 32, l. 32. Hugo has insisted several times on Jessica's physical coldness.

l. 26. **Penses-tu! Il est trop chinois.** "Not on your life! He's too twisty." This colloquial sense of *chinois* derives from *chinoiserie*, "a sly trick".

*Scene* 3

p. 122, l. 8. **Je suis nerveuse,** "jumpy". Cp. p. 105, l. 21.

l. 22. **Pourquoi n'accrochez-vous pas de gravures,** etc. "Why don't you hang some pictures on the walls? It would look less bare."

l. 25. **Comment sont-elles?** "What are they like?" The usual equivalent of "is like", "looks like".

p. 123, l. 5. **Oui, évidemment,** "Yes, naturally", or "Yes, I suppose so". He means that they naturally cannot go on talking while he is there.

l. 10. **des lubies,** "whims". Say, "when some whim happens to seize him".

l. 17. **Il se fait un peu tirer l'oreille,** "He needs a bit of persuading." Colloquial.

l. 24. **pour ne pas servir de cible,** "so as not to offer a target". He hints that there might be a second attack on him, then goes on to say that he noticed a light through their shutters. So they must have switched out the light just before letting him in.

l. 34. **Tu avais l'air moins intimidée cet après-midi.** In Tableau 4, Scene 2, before the bomb episode.

p. 124, l. 3. **Je croyais que vous n'aviez besoin de personne.** She remembers a previous remark of Hoederer's (see p. 92, l. 13).

l. 4. **Slick m'a dit que tu étais enceinte,** "pregnant". Slick has evidently reported the conversation in which she tried to conceal the sense of Hugo's drunken revelations (see p. 108).

l. 10. **Quand j'étais député au Landstag.** See note to p. 46, l. 12.

l. 16. **Tout ça.** Family life, *la douceur du foyer.*

l. 19. **Tu as l'air éreinté,** "worn out".

p. 125, l. 4. **vous avez frôlé la mort,** "you have been within an inch of death". *Lit.* "You have brushed against death."

l. 5. **Laisse tomber,** "Drop it; forget the whole thing."

l. 10. **Hoederer, changeant de ton et de visage.** It is the Marxist jargon, repeated by Jessica, which has provoked a reaction in the impassive Hoederer.

l. 11. **dis-moi ce que tu as sur le cœur,** "tell me what's on your mind".

l. 15. **vos combines,** "your fiddles". The same as *combinaison* (see p. 102, l. 1).

l. 22. **par un maquignonnage,** "by crooked bargaining". The original sense is "horse-dealing", which became synonymous with "dishonest business".

l. 26. **Il servirait de cadre,** etc., "It would provide the *cadres* – the leaders and the organization – for the counter-revolutionary forces."

p. 126, l. 14. **nous serons balayés,** "swept away".

l. 21. **qui brûlera ses récoltes,** "which will burn its crops". Rather than allow the State to dispose of them.

l. 23. **Et après?** "And what of it?" Cp. p. 33, l. 28. . . . **Le Parti bolchevique en a vu d'autres en 17,** "The Bolshevik Party went through worse things in 1917 (date of the Russian Revolution)."

l. 26. **Pas d'histoires, pas de casse,** "No quarrels, no fights."

l. 29. **la moitié des portefeuilles,** "half the posts in the Government". *Un portefeuille* (here) = "Minister's portfolio".

l. 34. **Ils sont coincés.** *Lit.* "Wedged in, jammed". He means that they are caught in an impossible position.

p. 127, l. 1. **le parti sera foutu,** "the party will be done for". Popular.

l. 4. **la lutte de classes,** "the class struggle".

l. 7. **louvoyer,** "manœuvre". *Lit.* "to tack about (in sailing)".

l. 11. **les durs nous quitteront,** "the tough/staunch ones will leave us". He means, the hundred-per-cent Communists.

l. 30. **Une écurie de courses,** "A racing stable." As his next sentence shows, he means: "Just a training establishment." . . . **fourbir un couteau,** "to polish (and sharpen) a knife".

l. 36. **Ça te passera,** "You'll get over it." Cp. p. 46, l. 4.

p. 128, l. 4. **dédouaner.** *Lit.* "to clear through the customs (by paying the duty required)". One might translate, "to bail out".

l. 6. **Je me fous des morts,** "I don't care *that* for the dead"/"Oh, damn the dead".

l. 9. **vos combines,** "your little schemes". Cp. p. 125, l. 15.

l. 10. **On les leur fera avaler tout doucement,** "We'll get them to swallow them quietly/bit by bit".

l. 25. **s'il y avait un coup dur,** "if something went wrong". Cp. p. 45, l. 12.

l. 27. **Mais de quoi parles-tu?** Hoederer can hardly recognize Hugo's idealistic image of the Communist Party.

l. 29. **De notre Parti? Mais on y a toujours un peu menti. Comme partout ailleurs.** A speech such as this, summing up the political theme of the play, convinced "pure" Communists that Sartre was antagonistic to them.

l. 35. **pour leur bourrer le crâne.** *Lit.* "to stuff their skulls (with falsehood)". A common idiom. Say, "to feed them with fairy-tales".

p. 129, l. 8. **Tous les moyens sont bons,** etc. Another statement of Hoederer's empirical (for Hugo, cynical) attitude.

l. 26. **Moi, j'ai les mains sales. Jusqu'aux coudes.** This speech justifies the title of the play. To take effective political action, says Hoederer, it is no use being "pure". You have to soil your hands, up to the elbows, in filth as well as blood.

p. 130, l. 3. **N-non. On en avait parlé en l'air,** "N-no. We just talked vaguely about it/discussed it as a general possibility." Hugo realizes that he has come very near to giving himself away.

l. 19. **des centaines de milliers d'hommes y laisseront leur peau,** "hundreds of thousands of men will die for it". *Lit.* "will leave their skins (bodies) there".

l. 23. **S'ils doivent y rester.** Synonymous with the idiom noted immediately above. *Lit.* "If they are to stay there (dead)." Cp. also p. 100, l. 33.

l. 25. **Eh bien, tant pis!** "Well, it can't be helped!"

p. 131, l. 11. **tu veux le faire sauter,** "you want to blow it up".

*Scene 4*

l. 24. **Dis: des gardes de corps!** The meaning is: "Well, we're bodyguards, aren't we?"

l. 26. **Tu nous as flanqué la frousse.** An equivalent in popular speech to: *Tu nous as fait peur.*

l. 28. **prendre le frais,** "Take the air/go for a stroll".

p. 132, l. 1. **En effet, qu'est-ce qui m'a pris?** "Yes, what *did* come over me?" Or, "What did happen to me?"

*Scene 5*

l. 12. **Je t'avais dit qu'il était chinois,** "crafty". Cp. p. 121, l. 26.

l. 15. **Tu n'en menais pas large devant lui,** "You weren't very comfortable/confident with him."

l. 16. **il avait beau jeu,** "he had an easy hand, an easy ride". See p. 117, l. 14.

l. 18. **Peut-être qu'il l'aurait mis dans sa poche.** *Lit.* "Perhaps he would have put him in his pocket." I.e., "made mincemeat of him; got the better of him easily".

l. 27. **pour le descendre,** "to do him in, kill him". See p. 34, l. 18.

SIXTH TABLEAU

p. 133, l. 2. The next morning. The scene is Hoederer's study, as in Tableau 4, except that the window frame broken by the explosion has been removed and the opening concealed by a cover held in position by drawing-pins, and reaching to the ground.

*Scene* 1

**p. 133, l. 9.** Stage directions. **Slick passe la tête,** etc. "Slick's head appears through the half-open door".

**l. 11. Il y a la petite,** etc. "The girl's asking to see you."

**l. 16. avec tous ses cheveux dans la figure,** "with (most of) her hair in her eyes". Indicating that she is shy and too agitated to bother about her appearance.

**p. 134, l. 4. pour te reprendre,** "to recover, get your breath back".

**l. 10. Si,** "Yes, you do." Always the word for "Yes" in contradiction of a negative remark.

**p. 135, l. 7. on a tout de suite envie,** "one immediately wants".

**l. 8. Et du coup,** "And at once", with the underlying meaning of: "as an immediate consequence".

**l. 9. Je ne suis pas embarrassante,** "I'm not a demanding person"/"I never get in the way".

**l. 19. Justement,** "Exactly". In one word Hoederer indicates why his marriage had been a failure.

**l. 26. Vous ne lui ferez pas de mal?** "You won't hurt him?"

**p. 136, l. 4. hache d'abordage,** "boarding-axe".

**l. 9. Tu lui en veux?** The classic rendering is, "You bear him a grudge?" Say, "You're sore with him?"

**l. 20. C'est à voir,** "That remains to be seen."

**l. 32. Ça t'embêterait si je me faisais descendre?** Fairly literally: "Would it worry you if I got myself killed?" More naturally: "Would you mind much/would you hate it if . . ." In the same tone, Jessica replies: "No, I should love it!"

**p. 137, l. 7. Devant toi il ne se dégonflera pas,** "He won't climb down in front of you." For *se dégonfler*, cp. p. 48, l. 1. **Allez, ouste!** "Now be off with you!" Cp. p. 92.

*Scene* 2

**l. 15. prêt à lui saisir le poignet,** "ready to seize his wrist".

**l. 19. La gueule de bois?** "Hang-over?" The usual, picturesque, expression.

**l. 20. Salement.** *Lit.* "filthily". Say, "a filthy one".

**p. 138, l. 1. D'après les chiffres,** etc. "According to the figures of the census by occupations . . ."

p. 138, l. 7. **Slick a relevé des empreintes,** etc. "Slick found footprints on a flower-bed."

l. 16. **Veux-tu que je te donne ta matinée?** "Would you like me to give you your morning off?"

l. 27. **ces souris,** "these little mice, these dear little creatures".

l. 28. **Elles sont butées,** "They are obstinate/single-minded." Hoederer's argument that women have more faith in ideas than men, because men make the ideas and therefore know their imperfections, is interesting . . . **nous connaissons la cuisine,** "we know the (*lit.*) cooking-formula; the way they're put together; the tricks of the trade".

p. 139, l. 4. **danser sur une corde raide,** "to dance on a tight-rope".

l. 15. **la gâchette,** "the trigger".

l. 21. **Tu te rends compte?** "Do you realize what it would be like?" Or, "Can you picture it?"

p. 140, l. 6. **Je suis de trop,** etc. . . . "I'm superfluous, I haven't found my place (in the world) and I'm in everyone's way."

l. 11. **Tu es un môme qui a de la peine à passer à l'âge d'homme,** "You're a kid who's finding it difficult to grow up."

l. 16. **on ne peut pas buter un homme de sang-froid,** "one can't kill a man in cold blood".

p. 141, l. 22. **c'est régulier,** "that's fair enough". *Régulier* is used in the sense of "correct, decent, honourable".

l. 23. **ton sort est lié au mien,** "your fate is bound up with mine". . . . **J'ai des atouts dans mon jeu,** "I hold some trumps in my hand" – because he has successfully begun negotiations with the Regent and has strong support in the Party.

l. 25. **Il est coriace,** "He's tough, tough-skinned." Cp. p. 61, l. 22.

l. 31. **Qu'est-ce que ça peut vous faire,** etc. "What can it matter to you if I shoot myself?" More literally: "if I send a bullet into my skin". *Flanquer* is a common colloquial word for "throw, chuck, send", etc. *Flanquer un coup à quelqu'un. Flanquer en l'air*: "To chuck away". See also p. 131, l. 26.

p. 142, l. 1. **Tu peux encore servir,** "You can still be of some use" – not "serve".

l. 3. **je suis foutu,** "I'm done for". Colloquial.

l. 6. **mériter le ciel,** "to merit Paradise" – like saints and martyrs. In this speech Hoederer restates his conviction that what matters is the effectiveness of an act, not its difficulty or the "merit" of attempting it.

l. 10. **celui pour lequel on est doué,** "the work for which one is gifted/ best equipped". Cp. p. 88, l. 31.

l. 15. **En bien quoi? Il faut gagner (sa vie),** "So what? One has to earn one's living."

l. 24. **on doit se sentir bien dans sa peau.** *Lit.* "One must feel comfortable in one's skin." Say, "One must feel wonderfully at ease."

l. 29, **parce que je tiens à vous,** "because I'm fond of you". Cp. p. 92, l. 21.

p. 143, l. 3. **tu ne feras pas de bêtises,** "you won't do anything silly" – i.e., try to kill yourself.

l. 7. **Tant que tu ne m'auras pas buté,** "As long as you haven't killed me". Colloquial: a variant on *descendu.*

l. 13. **Le petit a des ennuis,** "The kid's worried."

l. 14. **empêchez-le de se flanquer en l'air,** "prevent him from doing himself in". For *flanquer,* see p. 141, l. 31.

l. 17. **comme ça lui chante,** "as he likes". Cp. p. 37, l. 27. **il ne faut surtout pas l'énerver,** "the main thing is not to excite him".

*Scene* 3

l. 23. **C'est encore toi, poison?** The last word is affectionately abusive and more often applied to children. Say, "You dreadful child."

l. 25. **Après?** "So what about it?" Cp. p. 33, l. 28.

p. 144, l. 1. **Que tu es romanesque,** "romantic".

l. 17. **il va au-devant des pires embêtements,** "he has terrible trouble ahead of him". *Aller au-devant de,* "To go out to meet; to face."

l. 22. **Même pas. On se ressemble trop.** "Not even that. We're too much alike."

l. 26. **Tout ça.** He means, the realisation that she is in love with him.

l. 32. **Si tu as du vague à l'âme,** "If you've got a vacant place in your heart".

p. 145, l. 3. **Tu m'embêtes,** "Oh, stop bothering me/stop it." Again the kind of language one would use to a child.

l. 9. **quand on m'embrassait ça me donnait envie de rire,** "when I was kissed it made me want to laugh".

l. 11. **Un vrai homme de chair et d'os,** "A real flesh-and-blood man".

l. 13. **pour de vrai,** "truly, really".

*Scene 4*

p. 146, l. 4. **laisse tomber,** "drop it, let it go". Cp. p. 125, l. 5. **Je ne t'en veux pas.** Here, "I'm not blaming you." Cp. p. 136, l. 9.

l. 7. **Il se foutait de moi,** "He was just mocking me/making a fool of me."

l. 12. **et le braque sur Hoederer,** "and points it at Hoederer".

l. 16. **je me fous de ce que vous avez dans la tête,** "I don't bloody well care what's going on in your head."

l. 20. **Jessica se met à hurler,** "begins to scream".

l. 28. **Ah! c'est trop con!** "Ah! It's too bloody silly!" A trivial and very vulgar word is Hoederer's last. It is a fitting comment on the pointless absurdity of his death.

SEVENTH TABLEAU

p. 147, l. 4. The long flashback is over. The scene is again Olga's room as it was at the end of the First Tableau, when Hugo began to recall the events leading to Hoederer's death.

l. 17. **Est-ce que tu le revendiques?** *Lit.* "Do you claim it as yours?" Say, "Do you take the credit for it?"

l. 20. **c'est le hasard,** "it was chance".

p. 148, l. 2. **si j'avais poussé jusqu'au bout du jardin,** "if I had gone on (pushed on) to the bottom of the garden".

l. 17. **bracelet-montre** (or **montre-bracelet**), "wrist-watch".

l. 22. **si ça me chante,** "if I like". See p. 143, l. 17.

l. 24. **la petite secousse qui m'a facilité l'exécution,** "the little shock which made the act easier".

l. 28. **pour de vrai,** "really". See p. 145, l. 13.

l. 33. **sur les planches,** "on the stage". A more common expression than "on the boards" is in English.

p. 148, l. 33. **je remue l'index,** "I move my index-finger". He has no revolver, but is miming the action with his fingers only.

p. 149, l. 7. **deux ans en taule,** "in prison". Cp. p. 36, l. 5.

l. 12. **il gouverne ma vie du dehors,** "it rules my life from outside".

l. 19. **tous mes orages s'apaisaient,** "all my storms were calmed". Less rhetorically: "I felt calm and relaxed."

l. 23. **Un coquelicot à la boutonnière,** "A red poppy in the button-hole" he suggests ironically.

l. 28. **Récupérable** "Recoverable". Also, of rubbish (*ordures*) and industrial "waste", it denotes "fit for salvage". Cp. p. 37, l. 24.

p. 150, l. 1. **Ouf!** The standard exclamation of relief after fright or effort.

l. 12. **si nette,** "so clear-cut".

l. 21. **Les chocolats.** The poisoned chocolates sent to him in prison. See p. 33.

l. 31. **Raskolnikoff.** See note to p. 42.

p. 151, l. 27. **tu es dans le bon chemin,** "you are on the right road"/"you have made a good start". . . . **un cauchemar,** "a nightmare".

p. 152, l. 16. **Et vous avez trois voix?** All that Olga now tells Hugo was foreshadowed by Hoederer two years before. See particularly Tableau 5, Scene 3.

l. 19. **Depuis ce moment les troupes,** etc., "From that moment the (Illyrian) forces took practically no part in the operations."

l. 21. **Seulement du coup . . .** "But simultaneously . . ." Cp. p. 135, l. 8.

l. 33. **Il fallait donc le tuer: c'est lumineux,** "So he had to be killed. It's crystal-clear."

p. 153, l. 2. **il aura des rues,** "he will have streets (named after him)".

l. 5. **Un type aux gages de l'Allemagne?** "Some chap in the pay of the Germans?"

l. 12. **Menti, non. Mais nous . . .** Cp. Hoederer's remarks on the "whole truth", p. 128–29.

l. 16. **en riant aux larmes,** "laughing uncontrollably". More literally, "laughing till he cries".

p. 154, l. 2. **si je pouvais devenir amnésique,** "if I could lose my memory". Cp. "amnesia".

p. 154, l. 5. **dans la poubelle,** "in the dustbin".

l. 6. **je m'appellerai Julien Sorel,** etc. Julien Sorel: the unscrupulously ambitious young hero of Stendhal's novel *Le Rouge et le Noir*; he is executed for attempted murder . . . Rastignac: a character who appears in several of Balzac's novels, also young and ambitious . . . Muichkine: Prince Myshkin, the unhappy hero of Dostoyevsky's novel *The Idiot*, who finally goes insane.

l. 18. **tu as fait tes preuves,** "you've proved your courage, loyalty, ability, etc." (according to context).

l. 27. **parce qu'il faisait de mauvaise politique,** "because he was pursuing the wrong policy", . . . **et parce qu'il risquait de pourrir le Parti,** "and because he was likely to corrupt the Party".

p. 155, l. 5. **sors par la porte de ma chambre.** There is another door leading outside the house from Olga's bedroom.

l. 8. **un cadavre anonyme, un déchet du parti,** "a nameless corpse, a throw-out from the Party". The basic sense of *déchet* is something which is *discarded.*

l. 25. **Non récupérable.** See note to p. 149, l. 28.

# Select Vocabulary

The meanings given are those in which they occur in the text. Words and phrases explained or translated in the notes are omitted in this vocabulary unless they appear elsewhere in the text in a different sense. Adjectives are given only in the masculine form.

**abroger** to abrogate
**accru** (*pp.* **accroître**) increased
**agacé** irritated
**annuaire** m. directory
**attente** f. suspense
**avertir** to warn, give notice

(se) **bagarrer** to brawl
**balader** (fam.) take round, lug round
**balafre** f. gash, scar
**balayer** to sweep away
**blague** f. farce
(se) **blottir** to huddle up
**boulot** m. (pop.) job
**boutonnière** f. button-hole
**bracelet-montre** (**montre-bracelet**) m. wrist-watch
**broncher** to flinch

**cachette** [illegible] -place
**caleçon** m. pants
**calter** (slang) to make off
**camériste** f. lady's-maid
**chantage** m. blackmail
**châtaignier** m. chestnut-tree
**comble** m. height, (fig.) climax

**coquelicot** m. poppy
**courtepointe** quilt, counterpane

(se) **débrouiller** to shift for oneself, to "get along"
**défaire** to undo
**déformer** to pull out of shape
**déridé** (pp.) unwrinkled, smiling
(se) **détendre** to relax
**disparate** various, not matching
(se) **douter (de)** to suspect

**efficace** effective
**effleurer** to touch lightly
**embêtant** annoying
**embêter** to bother, annoy
**enfoncer** to thrust
**engraisser** to get fat, put on weight
**enragé** mad
**épars** scattered
**étang** m. pond

(se) **faire (à)** to get used to
**faire sauter** to blow up
**fardeau** m. burden
**fente** f. crack
**feuillet(s)** m. pl. papers
**foutu** (slang) "done for"

**gâchette** f. trigger
**gaspillage** m. waste
**gêner** to embarrass
**gravure** f. engraving, print
**groin** m. snout
**gros(en)** roughly, more or less
**guéridon** m. pedestal table
**guet-apens** m. trap, ambush
**gueule** f. jaw, (fam.) mouth, mug

**hausser** to raise, shrug (shoulders)

**jouet** m. plaything, toy
**joujou** m. toy

**lavallière** f. large floppy bow
**losange,** f. lozenge, diamond-shape
**lubie** f. whim, caprice

**malentendu** m. misunderstanding
(se) **méfier (de)** to mistrust
**ménager** to spare
**mépriser** to scorn
**montant** m. side (of window-frame)
**morne** sad, gloomy

**orgueil** m. pride

**pactiser** to compound, come to terms
**pâlot** sickly pale
**palper** to feel
**panser** to dress (of wounds)
**paramilitaire** paramilitary
**perruque** f. wig
**pétoire** f. pop-gun
**plate-bande** f. flower-bed
**plombier** m. plumber
**poteau** (**"pote"** fam.) m. mate, chum
**poubelle** f. dustbin
**pourrir** to rot
**prises (aux-avec)** at grips with, up against
**puer** to stink
**putain** (vulgar) "tart"

**rabattre** to shut down, fold down
**rallumer** to switch on again

**rayer** to strike out, delete
**rebord** m. (of window) sill
**récuperable** recoverable, worth salvaging
**rédacteur** m. editor
(se) **redresser,** to sit up
**relever** to find, pick out
**repêcher** to fish out
**ricaner** to laugh derisively, sneer
**romanesque** "romantic"
**rouleau-compresseur** m. steam-roller

**saigner** to bleed
**salaud** m. (slang) swine, blackguard, skunk
**saoul** (**soûl**) (slang) drunk, tight
**sensible** sensitive
**siffloter** to whistle softly
**sursauter** to give a start, jump up

**tailler** to cut, **taillé** (fig.) cut out for
**taper** (**à la machine**) to type
**taule** f. (slang) prison
**trahir** to betray

**veine** f. luck
**vélo** m. cycle
**velours** m. corduroy
**vertige** m. giddiness
**verrue** f. wart
**voix** f. vote